PAR L'AUTEUR DE Bine

VOLUME #2*

COUCHE-TOI MOINS NIAISEUX !

MYTHES, LÉGENDES URBAINES, FAUSSES CROYANCES, VÉRITÉS, DÉBILERIES, FAITS INUSITÉS, FARCES, TRUCS, TABLE À PIQUE-NIQUE ET AUTRES CURIOSITÉS...

éditions les malins

* L'inscription «volume 2» signifie qu'il existe aussi un volume 1. Sinon, celui-ci se serait intitulé «volume 1» et non «volume 2». Ceci étant dit, il n'y a pas d'ordre de préférence: tu peux lire le volume 2 avant le volume 1. Tu peux même lire les deux en même temps: un œil sur le volume 1 et l'autre sur le volume 2. Arrange ça à ton goût, je suis un fervent partisan du «vivre et laisser vivre».

info@lesmalins.ca

Éditeur: Marc-André Audet
Éditrice au contenu: Katherine Mossalim
Auteur: Daniel Brouillette
Directrice artistique: Shirley de Susini
Conception et mise en page: Shirley de Susini
Correcteurs: Pierre-Yves Villeneuve, Fleur Neesham, Dörte Ufkes
Images: shutterstock.com
Crédit photos couverture: François Couture

Dépôt légal – Bibliothèque et Archives nationales du Québec, 2017
Dépôt légal – Bibliothèque et Archives Canada, 2017

ISBN: 978-2-89657-545-9

Imprimé en Chine

Financé par le gouvernement du Canada | Canada

Les éditions les Malins inc.
Montréal, QC

Du même auteur qui ne comprend pas qu'on puisse raffoler de la relish:

Bine, 1. L'affaire est pet shop
Bine, 2. Bienvenue dans la chnoute
Bine, 3. Cavale et bobettes brunes
Bine, 4. Au royaume des 10 000 mouches noires
Bine, 5. Opération Ping Pow Chow
Bine, 6. Le bon, la brute et le puant
Bine, 7. Le retour de la banane masquée (1re partie)
Bine, 7. Le retour de la banane masquée (2e partie)

Aussi en bande dessinée !
Bine, 1. L'affaire est pet shop
Bine, 2. Bienvenue dans la chnoute
Bine, 3. Cavale et bobettes brunes

COUCHE-TOI MOINS NIAISEUX !

ET VOILÀ LA BELLE TABLE À PIQUE-NIQUE !
J'AI MÊME MIS LA NAPPE POUR TOI.
AS-TU APPORTÉ LES SANDWICHS ?
EN PASSANT, JE DÉTESTE LA MAYO, JE SUIS DU TYPE MOUTARDE.

LIS DONC ÇA EN PREMIER

Le sens critique est l'une des plus belles qualités qu'un individu puisse avoir. Malheureusement, plusieurs croient que si quelque chose est écrit dans un livre, un journal, un magazine ou sur internet, c'est que c'est forcément vrai. Il est toujours important de se poser la question : « Est-ce que ç'a du sens ? »

Laisse-moi t'expliquer un phénomène très répandu (surtout sur internet) qui s'appelle la désinformation, à l'aide d'un exemple inventé de toutes pièces. Disons qu'une étude scientifique conclut que le brocoli pourrait aider la mémoire… sous certaines conditions.

Peu de temps après, la nouvelle est rapportée par un site internet X avec ce titre accrocheur : *Le brocoli sauve les écoliers*. Ensuite, le jeu du téléphone arabe s'enclenche. Un paquet de blogues et de pseudo-sites d'information vont répéter la nouvelle du fameux site X. Si bien qu'en tapant « brocoli mémoire » sur Google, tu obtiendras des dizaines de liens d'articles vantant les propriétés miracles du brocoli. Le commun des mortels se dit alors : « Mon Dieu, ce doit être vrai ! Faut que je mange plus de brocoli ! »

Le gros problème, c'est que ceux qui publient ces articles ne sont pas des journalistes aguerris ni des scientifiques. On peut gager un bon vingt dollars qu'ils n'ont pas lu l'étude en question. Ils écrivent leur article en se basant sur un autre article, et ainsi de suite. Lire une étude, c'est long, plate et ardu. Et en dégager des conclusions demande des connaissances approfondies et une formation spécifique. Bref, l'info déformée au départ se déforme encore plus et, à la fin, le brocoli devient la panacée des étudiants. Plus besoin de dormir, il y a le brocoli !

Je suis certain qu'en fouillant un peu, tu pourrais trouver une info prouvant que la cigarette est bénéfique pour les chiens ! Bon, je fais ici des raccourcis intellectuels et je suis de mauvaise foi, mais c'est juste pour te dire qu'il faut se méfier de ce qu'on lit. Certains sites sont plus crédibles que d'autres. Aux États-Unis, le *New York Times* est un journal très rigoureux. Beaucoup plus que, disons, le *National Enquirer*. Au Québec, *Le Devoir* et *La Presse* jouissent d'une meilleure réputation que *Le Journal de Montroger* (je ne voulais pas nommer le vrai, le patron est fort sur les poursuites).

Méfie-toi surtout des sites du type « *Amazing Facts* ». Ce sont en effet des « faits incroyables ». Le hic, c'est qu'ils sont souvent faux ou inexacts.

Même si j'ai essayé d'être le plus rigoureux possible en rédigeant ce volume 2 de *Couche-toi moins niaiseux*, il se pourrait que je te rapporte des faussetés ou que je me sois trompé à certains endroits. Ce n'était évidemment pas mon but, mais la « vérité » n'est pas toujours facile à trouver. Parfois, plus on fouille et plus on s'aperçoit que les informations se contredisent. Tu dois aussi savoir que ce qui est vrai aujourd'hui ne le sera peut-être pas demain. Par exemple, quand j'étais jeune, j'apprenais qu'il y avait neuf planètes dans notre système solaire. Toi, tu as appris qu'il y en a huit (bye bye, Pluton !).

Comme apprendre est toujours plus amusant en s'amusant (eh boy, méchante tournure de phrase !), j'ai parsemé ce livre de toute ma folie. J'espère que ça te plaira.

Ton fidèle serviteur,
DANIEL BROUILLETTE

Il y a bien des pissous qui disent...

QUAND ON SE fait arroser PAR UNE mouffette, IL FAUT PRENDRE un bain DE JUS de tomate

Dans 5 secondes, ce chat
va demander un bain
de jus de tomate à son
maître. 1, 2, 3, 4...

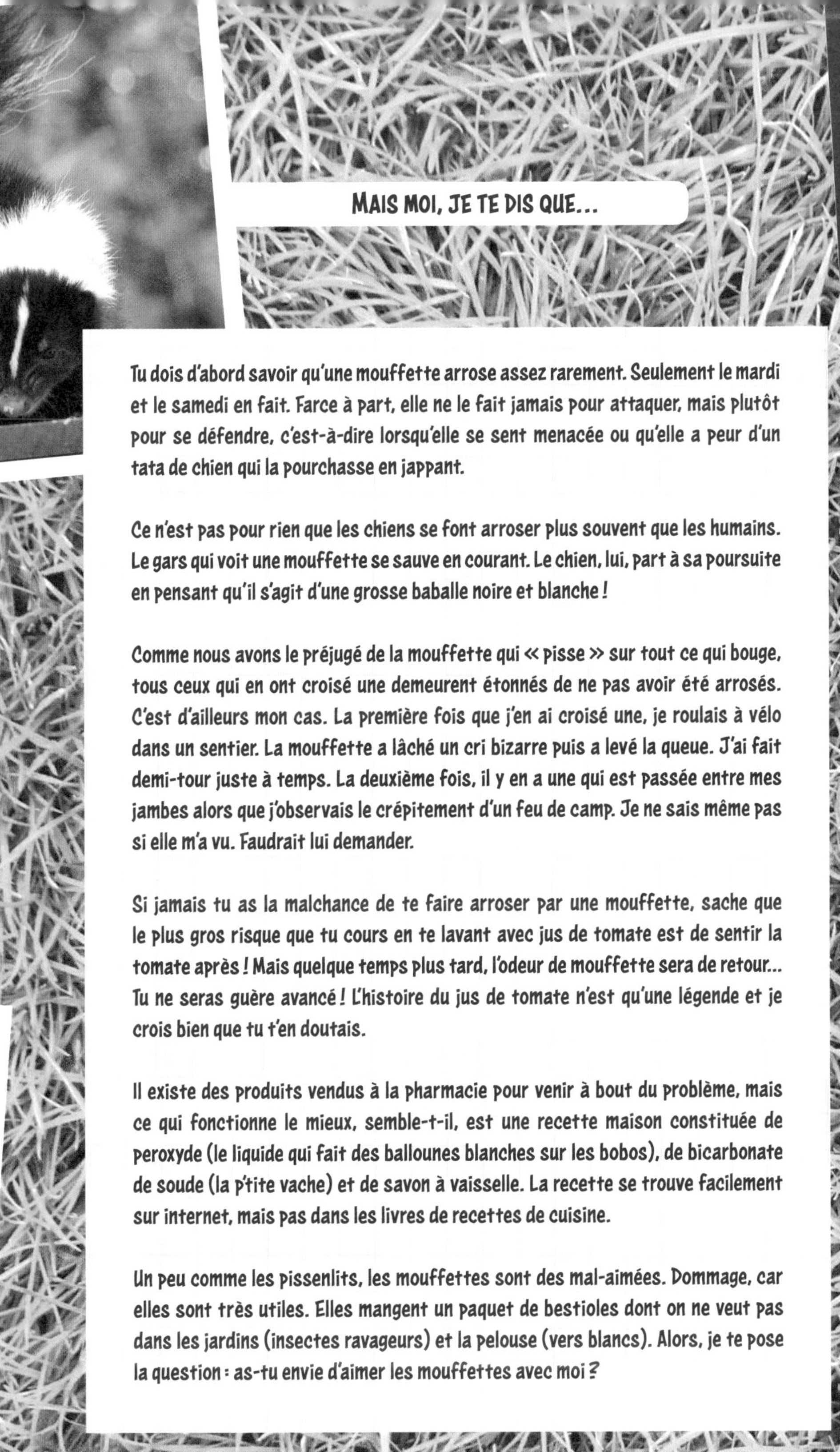

MAIS MOI, JE TE DIS QUE...

Tu dois d'abord savoir qu'une mouffette arrose assez rarement. Seulement le mardi et le samedi en fait. Farce à part, elle ne le fait jamais pour attaquer, mais plutôt pour se défendre, c'est-à-dire lorsqu'elle se sent menacée ou qu'elle a peur d'un tata de chien qui la pourchasse en jappant.

Ce n'est pas pour rien que les chiens se font arroser plus souvent que les humains. Le gars qui voit une mouffette se sauve en courant. Le chien, lui, part à sa poursuite en pensant qu'il s'agit d'une grosse baballe noire et blanche !

Comme nous avons le préjugé de la mouffette qui « pisse » sur tout ce qui bouge, tous ceux qui en ont croisé une demeurent étonnés de ne pas avoir été arrosés. C'est d'ailleurs mon cas. La première fois que j'en ai croisé une, je roulais à vélo dans un sentier. La mouffette a lâché un cri bizarre puis a levé la queue. J'ai fait demi-tour juste à temps. La deuxième fois, il y en a une qui est passée entre mes jambes alors que j'observais le crépitement d'un feu de camp. Je ne sais même pas si elle m'a vu. Faudrait lui demander.

Si jamais tu as la malchance de te faire arroser par une mouffette, sache que le plus gros risque que tu cours en te lavant avec jus de tomate est de sentir la tomate après ! Mais quelque temps plus tard, l'odeur de mouffette sera de retour... Tu ne seras guère avancé ! L'histoire du jus de tomate n'est qu'une légende et je crois bien que tu t'en doutais.

Il existe des produits vendus à la pharmacie pour venir à bout du problème, mais ce qui fonctionne le mieux, semble-t-il, est une recette maison constituée de peroxyde (le liquide qui fait des ballounes blanches sur les bobos), de bicarbonate de soude (la p'tite vache) et de savon à vaisselle. La recette se trouve facilement sur internet, mais pas dans les livres de recettes de cuisine.

Un peu comme les pissenlits, les mouffettes sont des mal-aimées. Dommage, car elles sont très utiles. Elles mangent un paquet de bestioles dont on ne veut pas dans les jardins (insectes ravageurs) et la pelouse (vers blancs). Alors, je te pose la question : as-tu envie d'aimer les mouffettes avec moi ?

REGARDE
COMME C'EST CUTE,
UNE MOUFFETTE !

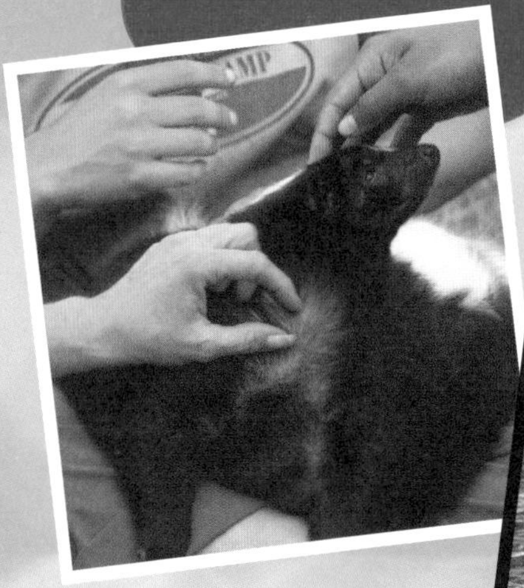

ÇA, C'EST CE QUI ARRIVE SI TU METS UNE MOUFFETTE DANS LA SÉCHEUSE!

5

Qu'est-ce qui est jaune et qui passe à travers les murs?

Réponse: Une banane magique.

Qu'est-ce qui est rouge et qui est écrasé contre un mur?

Réponse: Une tomate qui se prend pour une banane magique.

4

C'est l'histoire de deux tomates qui traversent une autoroute:
– Attention, un camion!
Splouch!
– Où ça, un camion?
Splouch!

Savez-vous ce que c'est qu'une tomate avec une cape?

Réponse: C'est Super-Tomate!

Et un concombre avec une cape?

Réponse: C'est un concombre déguisé en Super-Tomate!!!

Papa tomate, Maman tomate et Bébé tomate se baladent dans un parc. Bébé tomate regarde de belles filles. Papa tomate se fâche et lui donne une gifle. Bébé tomate va voir Maman tomate et cette dernière s'exclame: «Ben, t'es tout rouge!»

(Non seulement je ne la comprends pas, en plus, le bébé se fait battre. Malaise!)

Deux tomates traversent la rue. Une des deux se fait écraser et l'autre dit: «Alors tu viens, Ketchup?»

JUS DE LÉGUMES VS jus de tomate

Attention, le jus de légumes et le jus de tomate sont différents. Le jus de tomate ne contient que des tomates, tandis que le jus de légumes contient des tomates ainsi que d'autres légumes comme la carotte, le céleri et la betterave. À la liste de trucs qui ne fonctionnent pas en cas de mésaventure avec une mouffette, tu peux donc ajouter le jus de légumes!

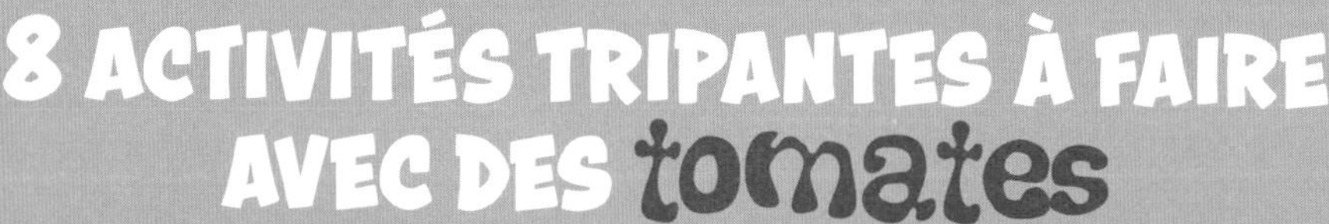

8 ACTIVITÉS TRIPANTES À FAIRE AVEC DES tomates

Les transformer en jumelles et simuler un gros fun.

Gager le ménage de sa chambre avec son père en affirmant qu'il est incapable d'en tenir une en équilibre sur son front pendant 5 minutes.

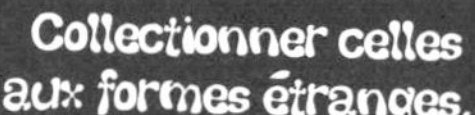

Collectionner celles aux formes étranges.

Les faire sniffer à un beagle et observer sa réaction.

Leur donner des formes spectaculaires pour impressionner un beau gars ou une belle fille.

En servir une en entrée à un air bête et compter le nombre de dents qu'il nous reste après coup.

Mettre une tomate sur le dessus d'une coupe de crème glacée et dire avec un air niais : « C'est vraiment la tomate cerise sur le sundae ! »

Organiser une comédie musicale avec un écureuil.

Tu as réussi à apprivoiser une mouffette à force de la nourrir ? Voici quelques jolis noms que tu peux lui donner : Oreo, Piano, Arbitre, Tuxedo, Yin-Yang, Domino, Ballon de soccer, Mots croisés ou Yum (en l'honneur du jeu de dés et non des chips au ketchup). Et si jamais tu désires la troubler sur le plan de son identité, tu peux toujours l'appeler Panda, Dalmatien ou Zèbre !

COUCHE-TOI MOINS NIAISEUX
arrose tous les mythes à propos des mouffettes

Bon, les jeux de mots plates sont de retour!

LORSQU'UNE MOUFFETTE ARROSE, IL S'AGIT D'URINE.

Rien n'est plus faux. Je ne sais pas ce que sent son urine (probablement la même chose que celle des animaux sauvages), mais le liquide nauséabond qu'elle projette est produit par ses glandes anales. Il y en a une de chaque côté de l'anus. Ça pue donc triplement dans cette région!

LES MOUFFETTES S'ARROSENT ENTRE ELLES.

Les mouffettes ont vraiment autre chose à faire que de s'arroser. N'oublie pas qu'elles le font pour se défendre. Entre mouffettes, elles se tirent les cheveux et se bitchent, mais ne s'arrosent pas.

LES MOUFFETTES TRANSMETTENT LA RAGE.

Pour transmettre la rage, un animal doit avoir été mordu par un autre animal infecté. Or, les mouffettes ne sont pas répugnantes que pour les humains. La majorité des espèces animales s'en tiennent éloignées, ce qui réduit les risques de transmission. Bien que ce soit peu commun, il est quand même possible qu'une mouffette soit infectée par la rage. Mais la question que je me pose est : pourquoi t'approcherais-tu d'une mouffette qui a de l'écume sur le bord de la gueule?

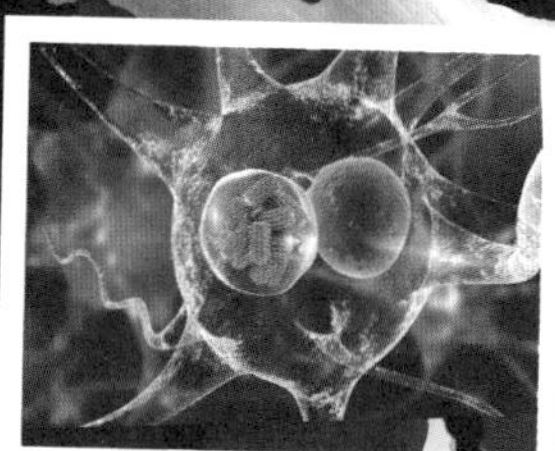

Ce chien a-t-il la rage ou bien est-il seulement en beau maudit? On prend le sixième appel!

Les mouffettes sont nocturnes.

Il y a beaucoup de vrai dans cette affirmation. Habituellement, les mouffettes sortent le soir tard, mais il peut leur arriver de gambader le jour et, contrairement à ce qui est véhiculé, ce n'est pas du tout parce qu'elles sont atteintes de la rage. Les mamans recherchent fréquemment de la nourriture pour leurs bébés en plein jour, tandis que la nuit, elles restent dans leur abri afin de protéger leurs petits des vilains prédateurs. Donc, message à tous ceux qui laissent les lumières de la cour arrière allumées pour éloigner les mouffettes : vous gaspillez de l'électricité!

Les mouffettes foutent le bordel dans les poubelles.

Si la poubelle est facile d'accès, les mouffettes vont se servir, bien entendu. Mais lorsque vient le temps de grimper ou de manipuler des couvercles, les mouffettes sont loin derrière les ratons laveurs et les extraterrestres.

Une mouffette ne peut arroser qu'une seule fois par jour.

Les glandes qui produisent le liquide de la mouffette ne sont pas remplies à l'infini. Quand elles sont vides, ça prend quelques heures avant qu'elles se rechargent. Un peu comme des piles. Le hic, c'est qu'une mouffette ne vide pas ses glandes d'un coup. Elle peut en conserver une certaine quantité afin de s'en servir plus tard. Certaines nuits sont plus mouvementées que d'autres... La mouffette n'est pas seulement puante, elle est aussi prévoyante!

On peut devenir aveugle si on se fait arroser dans les yeux.

Voilà ce qui t'attend si tu te fais arroser au visage!!! Ha! Ha! Non, mais quelle malchance! Déjà qu'il ne faut pas être chanceux pour se faire arroser par une mouffette, imagine que tu es à quatre pattes et que le jet t'arrive en plein dans les yeux. Ma seule question serait : mais que fais-tu à quatre pattes devant une mouffette? Tu vérifies si c'est un mâle ou quoi? Si le liquide brûlait autant qu'il pue, la douleur serait atroce, non? Heureusement, il n'y a pas de corrélation entre son odeur et son effet sur la peau. Ta vue ne serait donc pas en péril. Il suffirait de bien te rincer les yeux... mais pas avec du jus de tomate!

L'ENCYCLOPÉDIE

nauséabonde de la bête puante

La mouffette fait partie de la famille des **méphitidés**. Jusqu'à la fin des années 90, elle faisait plutôt partie de la famille des **mustélidés**, des mammifères allongés aux pattes courtes. Le mot « mustélidé » vient du latin mustela, qui signifie « belette ». Font entre autres partie de cette merveilleuse famille des animaux qui puent : fouine, vison, loutre, belette (évidemment !), blaireau, furet et martre. Essaie de deviner quel mustélidé figure sur cette photo. La réponse se trouve au bas de la page suivante.

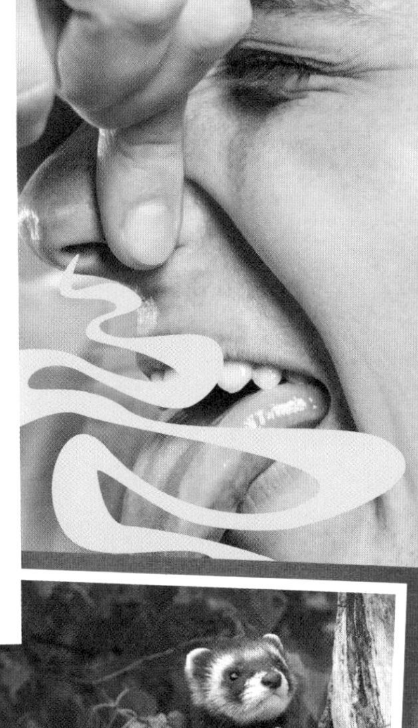

Le putois, lui aussi un mustélidé, est parfois confondu avec la mouffette, mais ce sont deux animaux différents. À noter que dans les *Looney Tunes*, **Pépé le putois** (Pepé Le Pew) est une mouffette et non un putois. Presque pas mêlant...

La mouffette est omnivore, c'est-à-dire qu'elle mange un peu de tout. Par contre, à l'instar des gars aux gros muscles au gym, elle a une préférence pour la viande. Cela dit, elle déteste les *shakes* protéinés.

Dans *Bambi*, la mouffette s'appelle Fleur. C'est un mâle aux yeux bleus. Les mouffettes aux yeux verts sont plus rares !

Voici Fleur et sa blonde lors du 80e anniversaire de Bambi.

Bach et Bottine est un film québécois sorti en 1986. Tout comme *La Guerre des tuques*, il fait partie de la collection *Contes pour tous*. Il met en vedette **Mahée Paiement** et une mouffette appelée **Bottine**.

Réponse :
Une loutre. Si tu avais deviné, c'est signe que tu devrais t'acheter un billet de « louterie » !

Misère, un autre jeu de mots!

DEVIENS UN DICTIONNAIRE À DEUX PATTES!

MOUFFETTE OU MOUFETTE

Bonne nouvelle pour tes prochaines dictées, tu peux écrire **mouffette** ou **moufette**, avec un ou deux «f». La forme à deux «f» est légèrement plus fréquente, tandis que celle à un «f» est recommandée. Ne prends donc pas de chance et écris-le avec trois «f»: moufffette.

SCONSE

Un **sconse** est une mouffette. Ce synonyme, qui vient de l'anglais ***skunk***, est principalement utilisé en France. Il n'est pas rare d'entendre ce mot dans un film traduit. Au Québec, on ne parle pas de sconse, mais de **bête puante**, comme tu as pu t'en rendre compte en lisant le titre de la section précédente. Bête puante... Voilà un nom qui laisse peu d'ambiguïté quant à notre amour pour les mouffettes!

MOFETTE

Le mot «**mofette**» désigne aussi une mouffette. On ne le rencontre jamais... sauf dans un dictionnaire! À noter que ce mot est aussi un terme en lien avec les volcans.

La mouffette est si impopulaire que personne à l'Académie de la langue française n'a daigné donner de nom à ses petits. Sur un site zéro crédible rempli de fautes d'orthographe, on parle de mouffetons, mais sache que ce mot est absent des dictionnaires, alors ne l'utilise pas!

MOUFLETTE OU MOUFLET

Une **mouflette** désigne une petite fille. Un **mouflet**, un garçon. Ex. : La mouffette a arrosé la mouflette.

L'ANOSMIE

L'**anosmie** est la perte de l'odorat. Une personne qui en souffre ne détecte pratiquement aucune odeur, pas même celle de la mouffette. À l'opposé, il y a l'**hyperosmie**, l'odorat excessivement développé. On recommande aux personnes concernées de ne pas aller à la campagne durant la saison de l'épandage du fumier !

MOUFTER

Le verbe « **moufter** » (ou **moufeter**) n'a rien à voir avec une mouffette. Il s'agit d'un synonyme de « protester ». Ex. : La mouffette est partie sans moufeter.

JEU BONUS !

Voici un défi pour les experts.

Instructions : guide chaque animal vers son habitat naturel. Bonne chance !

TOP 6 DES affaires QUI puent LE plus!

(À part un cadavre d'ourson... parce qu'on s'entend qu'une photo de Winnie en décomposition, ce serait pas mal dégueu!)

On ne s'obstinera pas longtemps là-dessus : la mouffette sent le yâble ! Voici six autres affaires qui ne laissent pas leur place côté puanteur.

Durian

Ce fruit originaire d'Asie pue à un tel point qu'il est proscrit dans bien des endroits publics (hôtels, aéroports, etc.). Pour te donner une idée, on compare son odeur à celle du vomi, de la merde et des oignons. Le choix numéro un pour *scrapper* une salade de fruits!

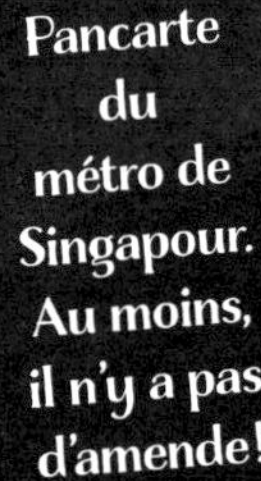

Pancarte du métro de Singapour. Au moins, il n'y a pas d'amende!

Ça, ça veut dire: «Laisse ton durian chez vous!»

Cet oiseau tropical vit en Amérique du Sud, principalement en Amazonie. Son odeur répugnante est due à sa façon de digérer les aliments. En anglais, il est surnommé « *stinkbird* », l'équivalent de « oiseau puant ».

Sulfure d'hydrogène

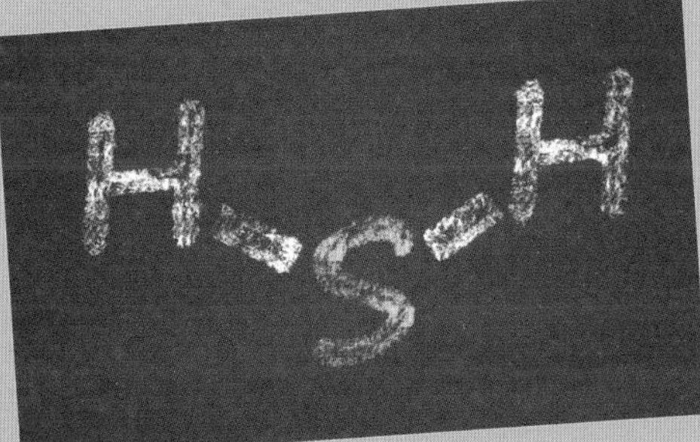

Le sulfure d'hydrogène (H_2S) est un composé chimique que tu connais très bien. Tu n'as probablement jamais entendu son nom, mais je te garantis que tu l'as déjà senti. Il a une odeur d'œuf pourri. Si tu pètes, il y a de bonnes chances que ta flatulence en contienne... à moins qu'elle ne dégage un parfum de rose, comme celle d'une licorne! Le sulfure d'hydrogène est inflammable, il n'est donc pas recommandé de traîner un paquet d'allumettes dans ses bobettes!

Vieux Boulogne

Le Vieux Boulogne est réputé pour être le fromage le plus écœurant au monde. Selon mes estimations scientifiques, un *grilled-cheese* au Vieux Boulogne sent à 2,7 km de distance.

Oeuf de cent ans

Les œufs centenaires lèvent le cœur de bien des touristes qui se rendent en vacances en Chine. Là-bas, on les mange autant à la collation qu'aux repas... même au déjeuner! Il est également possible d'en acheter enrobés de pâte feuilletée. Il existe de nombreuses recettes pour préparer un œuf de cent ans. L'une d'elles consiste à conserver un œuf de cane, de poule ou de caille pendant 2-3 mois dans un mélange d'argile, de cendre, de chaux, de riz et de sel. Selon les initiés, la texture et l'odeur peuvent être rebutantes au début, mais le goût est meilleur que ce que laissent supposer les apparences. J'espère!

Arum titan

L'arum titan (nom scientifique: *amorphophallus titanum*) est aussi appelé le phallus de titan. Ce n'est pas sa forme de pénis qui est intéressante ici, alors cesse d'avoir des idées croches! En anglais, cette fleur magnifique est surnommée *corpse flower*, car elle dégage une odeur de décomposition lors de sa floraison. Le problème, c'est qu'elle continue de se reproduire, car son odeur nauséabonde attire les insectes pollinisateurs. Heureusement, sa floraison ne s'étend pas sur plusieurs mois...

Ils ont passé près de faire la liste:

le plat de lunch oublié dans le fond du casier

les égouts

l'haleine du matin

le cheveu brûlé

l'eau stagnante

la litiére pleine de Ti-Mine

le chien mouillé

la poubelle à couches

la maudite cigarette

le poisson réchauffé au micro-ondes

le vomi de chips crème sure et oignon

la poche de hockey de Zdeno Chara

IL Y A BEAUCOUP DE PARENTS QUI DISENT À LEURS ENFANTS...

IL FAUT ATTENDRE 30 minutes APRÈS AVOIR MANGÉ avant d'aller se baigner.

ET IL Y EN A DES PLUS MOTIVÉS ENCORE QUI DISENT...

IL FAUT ATTENDRE 2 heures APRÈS UN REPAS avant d'aller se baigner.

Roxy a mangé dix minutes avant de sauter dans la piscine. D'ailleurs, elle a pété au frette quelques instants après que cette photo ait été prise...

MAIS MOI, JE TE DIS QUE...

Plusieurs parents croient à tort qu'on peut mourir noyé après avoir mangé. Comme si le fait que le corps soit en mode digestion empêchait la personne de nager avec toutes ses facultés. C'est complètement absurde comme croyance !

En fait, manger ou pas avant d'aller dans la piscine n'est qu'une question de confort. Il est possible, si tu as trop mangé ou que tu viens tout juste d'avaler ta dernière bouchée, que tu sois incommodé. Moi, lorsque je fais de l'exercice après avoir englouti un gros hamburger, il me remonte dans la gorge et j'ai l'impression que je vais tout vomir. Et si je bois trop, j'ai des crampes. Ça dépend vraiment de chacun. J'ai déjà vu un joueur de basket enfiler un Big Mac deux minutes avant un match, sans aucun problème !

Et même s'il était vrai qu'on risque de se noyer lorsqu'on digère, il faudrait attendre bien plus que deux heures. Le processus de digestion se fait sur plusieurs heures, et comme nous mangeons un repas le matin, le midi et le soir, on peut dire sans se tromper que le corps est toujours en mode digestion... à part peut-être à l'aube ! Poireauter 30 minutes ou 2 heures n'y changera absolument rien. Une chance qu'il ne s'agit que d'un mythe, sinon, on ne pourrait jamais se saucer en juillet !

En résumé, on ne peut pas mourir noyé parce qu'on n'a pas attendu assez longtemps après avoir mangé avant de se garrocher dans la piscine. Le moyen le plus efficace pour se noyer demeure ne pas savoir nager.

DES PIRES CHOSES À FAIRE LORSQUE

TON AMI EST EN TRAIN DE SE NOYER

1

ESSAYER TON NOUVEAU CERF-VOLANT.

2

PRENDRE TON AMI EN PHOTO EN LUI DEMANDANT DE SOURIRE ET LA PUBLIER ENSUITE SUR INSTAGRAM. **GROS FUN DANS LA PISCINE AVEC NIC! #GLOUGLOU #GROSBOUILLONDECHLORE**

3

ADMIRER LA FILLE VRAIMENT TROP BELLE QUI SE FAIT GRILLER EN BORDURE DE LA PISCINE.

4

ESSAYER DE COMPRENDRE COMMENT ON FAIT POUR TRICOTER DES PANTOUFLES.

5

ENLEVER UN À UN LES PÉTALES D'UNE FLEUR EN JOUANT À « IL M'AIME, IL M'AIME PAS ».

6

LUI DEMANDER DE TE METTRE DE LA CRÈME SOLAIRE DANS LE DOS.

7

DÉCORER UN ANANAS.

8

LUI MONTRER TA NOUVELLE DENT QUI POUSSE.

9

TE PLAINDRE QUE L'EAU EST VRAIMENT TROP FRETTE!

10

CONFIER À POOPY, LA SUPERSTAR, LA TÂCHE DE LE SAUVER.

Plongeons DANS LES CONNAISSANCES

Encore un excellent jeu de mots !

Il existe quatre types de nage, cinq si on inclut la nage « en p'tit chien ».

dos

NAGE IDÉALE POUR AVALER DE L'EAU ET S'ASSOMMER SUR LES PAROIS DE LA PISCINE.

papillon

STYLE DE NAGE LE PLUS COMPLEXE DEMANDANT COORDINATION ET PUISSANCE.

crawl

CETTE NAGE EST UTILISÉE LORS DES ÉPREUVES DE STYLE LIBRE, CAR ELLE EST LA PLUS RAPIDE.

brasse

NAGE PEU RAPIDE, MAIS RELAXANTE. LA PRÉFÉRÉE DES GRANDS-MÈRES. POUR CE QUI EST DE LA BRASSE DE COMPÉTITION, ÇA BRASSE PAS MAL PLUS !

Les épreuves « quatre nages » (*medley* en anglais) sont pratiquées seul ou à relais (4 nageurs par équipe). L'ordre des nages n'est cependant pas le même.

Épreuves individuelles : 1- papillon, 2- dos, 3- brasse, 4- style libre.
Relais : 1- brasse, 2- dos, 3- papillon, 4- style libre.

Une piscine olympique mesure 50 mètres de long sur 25 mètres de large. En comparaison, les piscines municipales ont bien souvent une longueur de 25 mètres, soit la moitié. Dans les compétitions, le bassin est divisé en 8 ou 10 corridors. Les corridors du centre (4 et 5), qui offrent une meilleure vue d'ensemble de la course, sont réservés aux nageurs ayant obtenu les deux meilleurs temps lors de la phase précédente.

MICHAEL PHELPS, LE PRODIGE

Michael Phelps a annoncé AVANT, PENDANT et APRÈS les Jeux de Rio de 2016 que ce seraient ses derniers. Je pense qu'on peut le croire!

Il peut prendre sa retraite de la compétition la tête plus que haute: il est le plus grand médaillé olympique de tous les temps et son record n'est pas près de tomber! Il a remporté 28 médailles (dont 23 d'or!) en 4 olympiades (2004, 2008, 2012, 2016). Il avait aussi participé à une course aux Jeux de 2000... à l'âge de 15 ans! Il n'avait rien remporté, mais avait tout de même réussi à terminer 5ᵉ. L'année suivante, en 2001, il réussissait à battre le record du monde au 200 m papillon! Ce fut le début de l'ère Phelps.

Celui que l'on surnomme The Baltimore Bullet a beaucoup fait parler de lui aux Jeux olympiques de Pékin de 2008 en gagnant 8 médailles d'or... sur une possibilité de 8! Certains doutes planaient, mais il a passé avec succès tous les tests antidopage qu'il a subis.

Quatre ans plus tôt, à Athènes (en Grèce), il avait remporté 6 médailles d'or et 2 d'argent. En 2012, à Londres, il a remporté 4 médailles d'or et 2 d'argent, alors qu'il était, selon ses propres dires, dans une forme merdique. Il a par la suite pris sa retraite, avant d'effectuer un retour en 2014.

Malheureusement, sa carrière n'a pas été que dorée. Elle a été entachée de quelques controverses. En 2004, il a été arrêté pour conduite avec facultés affaiblies. En 2009, il a été photographié en train de fumer ce qui était, de toute évidence, de la marijuana. Puis en 2014, il a de nouveau été arrêté pour conduite avec facultés affaiblies, excès de vitesse et conduite dangereuse. Cette fois-ci, c'était encore plus grave et il est allé de lui-même dans un programme de réhabilitation pendant 45 jours. À sa sortie, il a mis une croix sur l'alcool et a recommencé l'entraînement en ayant dans la mire les Jeux de Rio de 2016.

Le « focus » à la bonne place, comme on dit si mal, il a retrouvé des niveaux de performance qu'il n'avait pas atteints depuis des années. Il reste que ses détracteurs et même ses admirateurs étaient sceptiques. Il a pris part à 6 compétitions à Rio. Résultat: 5 médailles d'or et 1 d'argent. Pas pire pour un gars que certains croyaient fini!

La grande question que les experts se posent est: reverra-t-on, un jour, un grand nageur comme Michael Phelps? Un nageur qui dominera outrageusement son sport durant plus d'une décennie? Personnellement, j'en doute.

INCROYABLE, MAIS VRAI !

- De 2004 à 2016, Michael Phelps a remporté plus de médailles d'or que le Canada !
- À Pékin, si Michael Phelps avait été une nation à lui seul, il aurait été devancé par seulement 8 pays pour le nombre total de médailles d'or, à égalité avec l'Italie !
- Dans toute sa carrière olympique, Phelps a remporté une médaille dans 28 des 30 épreuves auxquelles il a pris part !

LES VILLES HÔTES des Jeux olympiques d'été

Les épreuves de natation ont toujours lieu lors des Jeux olympiques d'été. En hiver, les nageurs n'aiment pas sortir dehors les cheveux mouillés ! Voici donc toutes les villes qui ont eu le privilège de s'endetter au maximum pour accueillir les Jeux olympiques d'été :

1896

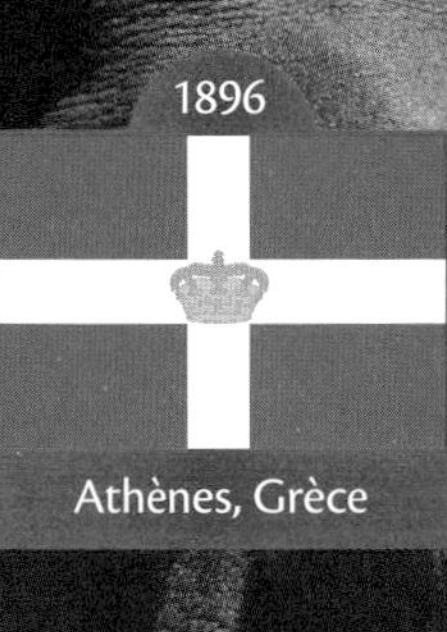

Athènes, Grèce

1900

Paris, France

1904

Saint Louis, États-Unis
(à cette époque, il n'y avait que 45 étoiles sur le drapeau et non 50 comme aujourd'hui)

1908

Londres, Royaume-Uni

1912

Stockholm, Suède

1916

Annulés en raison de la Première Guerre mondiale

1920

Anvers, Belgique

1924

Paris, France
(encore!)

1928

Amsterdam, Pays-Bas

1932

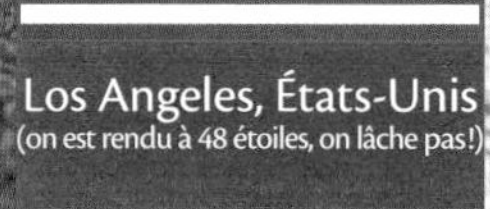

Los Angeles, États-Unis
(on est rendu à 48 étoiles, on lâche pas!)

1936

Berlin, Allemagne
(oui, le drapeau nazi était le drapeau officiel de l'Allemagne à cette époque!)

1940 et 1944

Annulés en raison de la Deuxième Guerre mondiale

1948

Londres, Royaume-Uni
(pour une 2e fois)

1952

Helsinki, Finlande

1956

Melbourne, Australie

1960

Rome, Italie

1964

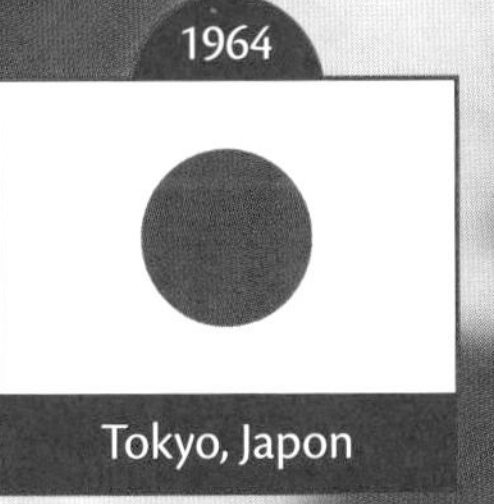

Tokyo, Japon

1968

Mexico, Mexique

1972

Munich, RFA
(à cette époque, l'Allemagne était séparée en deux: la République fédérale d'Allemagne [RFA] et la République démocratique allemande [RDA])

1976

Montréal, Canada
(je sais pas c'est où...)

1980

Moscou, URSS
(L'Union des républiques socialistes soviétiques est un ancien pays. Moscou est aujourd'hui la capitale de la Russie.)

1984

Los Angeles, États-Unis
(yé, 50 étoiles!!!)

1988

Séoul, Corée du Sud

1992

Barcelone, Espagne

1996

Atlanta, États-Unis
(4e fois que ça se passe chez les Âmaricains, c'est assez!)

2000

Sydney, Australie

2004

Athènes, Grèce
(là où tout a commencé en 1896)

2008

Pékin, Chine
(le spectacle d'ouverture était à couper le souffle)

2012

Londres, Royaume-Uni
(3e fois dans la même ville, ça suffit!)

2016

Rio de Janeiro, Brésil

2020

Tokyo, Japon

2024

Brossard, Québec
(ouin, peut-être pas...)

GUIDE DE SURVIE DE LA BAIGNADE :

10 conseils utiles !

Conseil no 1:
Se protéger la peau du visage à l'aide de crème solaire ou d'une moustache.

Conseil no 2:
Contracter ses abdos en tout temps.

Conseil no 3:
Toujours traîner de la lecture avec soi.

Conseil no 4:
Crier comme des folles à proximité d'un appareil-photo.

Conseil no 5:
Ne jamais oublier sa bouée de sauvetage.

Conseil no 7:

Enfiler un costume de bain avant de sauter à l'eau.

Conseil no 6:

Suivre des cours de plongée dans son bain avant de s'aventurer dans l'océan.

Conseil no 8:

Toujours se saucer avant de plonger dans la piscine.

Conseil no 9:

Pratiquer les situations de noyade dans sa toilette.

Conseil no 10:

Toujours vouvoyer les sirènes que l'on croise.

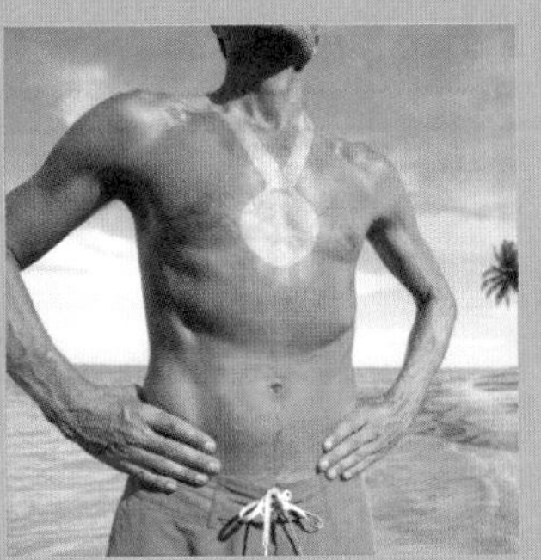

5 SIGNES QUE T'AS POGNÉ UN MÉCHANT COUP DE SOLEIL

- Tu pourrais te faire cuire un œuf sur la bedaine.
- Les draps de ton lit te font souffrir.
- Tes amis t'appellent le « homard ».
- Même le cancer n'ose pas s'aventurer sur ta peau.
- T'as envie d'aller dans le four pour te rafraîchir.

ON SE FAIT SOUVENT CASSER LES OREILLES AVEC CE PROVERBE...

L'ARGENT NE FAIT PAS LE BONHEUR.

MAIS MOI, JE TE DIS QUE...

Ce n'est pas tout à fait vrai, mais ce n'est pas tout à fait faux non plus. Chose certaine, ce n'est sûrement pas un millionnaire qui a inventé ce proverbe !

J'ai grandi dans un milieu modeste et ça ne m'a pas empêché d'avoir une belle enfance. Comme ma mère n'avait pas beaucoup d'argent, elle ne pouvait pas m'acheter tout ce que je désirais. Ce qui fait que, lorsqu'elle m'offrait quelque chose que je voulais, je l'appréciais au plus haut point. Avoue que le plaisir est encore plus grand quand tu reçois un cadeau auquel tu rêvais depuis des mois ! Si tu avais reçu ce même cadeau deux minutes après l'avoir souhaité, tu aurais été content, mais pas autant. Souvent, désirer quelque chose est encore plus excitant que le recevoir.

Avoir trop d'argent doit être assez blasant. Imagine que tu n'aies même pas besoin de laver ta vaisselle après le repas. Tu la jettes et en rachètes d'autre ! Imagine que tu sois capable d'acheter des compagnies et toutes les voitures de luxe que tu veux ! Imagine que tu puisses te payer absolument tout, même des îles paradisiaques ! De ne plus avoir à désirer quoi que ce soit, ça doit devenir assez plate. Vient aussi un moment où tu dois te demander si tes amis en sont des vrais. Sont-ils là parce qu'ils t'aiment ou parce qu'ils veulent profiter de ton argent ? À l'inverse, avec 500 millions dans un compte de banque et aucun ami avec qui en profiter, les journées doivent être longues...

Si ta blonde ou ton chum t'a laissé, ce n'est pas un billet de 100 dollars qui va t'aider. Bon, j'avoue que si tu recevais un million, ta peine pourrait être diluée un peu, ou à tout le moins, repoussée de quelques jours.

Pour prouver que ce proverbe est vrai, certaines personnes de mauvaise foi sortent l'exemple de gens qui ont gagné le gros lot à la loterie et qui ont terminé leurs jours misérables. C'est comme les mots en « ou » qui prennent un « x » au pluriel : on appelle ça des exceptions ! On ne nous parle jamais de tous les autres, ceux qui ont fini leur vie heureuse sur un voilier dans la mer des Caraïbes.

Conclusion ? C'est vrai que l'argent ne fait pas le bonheur, mais il peut y contribuer. Quand on a assez d'argent, on peut aller à La Ronde, on peut manger au resto une fois de temps en temps, on peut voyager, on peut s'acheter des vêtements à la mode, on peut se payer un cornet et le faire tremper dans le chocolat sans se demander si on a assez d'argent pour l'extra d'un dollar ! L'argent permet de se payer des p'tites folies qui rendent la vie encore plus amusante.

Moi, si je gagne quelques millions à la loterie demain, je te jure que ça ne me rendra pas malheureux. Fini le stress des bris de toilettes ou des inondations ! Fini les voisins fatigants, je déménage dans une plus grande maison dans un coin paisible. Fini la consultation des circulaires IGA pour voir si mes céréales sont en solde ! Fini le jus d'orange de marque maison, je me paie du Tropicana Grovestand à plein prix ! Avec tout cet argent, je voyagerais, jouerais au basketball plusieurs fois par semaine, gâterais les gens que j'aime, appuierais des causes qui me sont chères. Je pourrais surtout m'acheter un Gatorade au dépanneur sans me dire : « Me semble que c'est cher pour de l'eau pis du sucre ! »

Mais malheureusement pour toi, si jamais ça arrive, tu risques de ne plus jamais voir de nouveaux volumes de *Couche-toi moins niaiseux.* Et si jamais tu croises un monsieur aux cheveux gris avec un cornet de 36 boules qui lui coule partout sur les mains, sache que c'est moi. Surtout s'il est trempé dans le chocolat ! Est-ce que ça voudra dire que je suis plus heureux ? Je ne sais pas, mais ça ne m'empêche pas d'en rêver...

6 PROVERBES pour les nuls !

L'APPÉTIT VIENT EN MANGEANT

Plus on mange et plus on a faim. Ah bon... C'est drôle, moi, à la fin d'un repas, j'ai moins faim qu'avant de manger. C'est un peu le but des repas.

RIEN NE SERT DE COURIR, IL FAUT PARTIR À POINT

Sauf quand on s'en va jogger, bien sûr ! Ce proverbe est en fait la morale à la fin de la fable *Le Lièvre et la Tortue*. Tu sais, quand la tortue gagne la course contre le lièvre ? Si tu n'avais jamais lu l'histoire, je m'excuse de t'avoir dévoilé le *punch* ! Ce proverbe sert à te rappeler que mieux vaut être tenace et patient que de te précipiter.

LES CORDONNIERS SONT (TOUJOURS) LES PLUS MAL CHAUSSÉS

Ce proverbe signifie qu'on ne tire pas toujours avantage de son métier. Quand on travaille pour les autres, on y met souvent tout notre cœur, mais on a tendance à négliger le travail pour soi. Un jour, si tu travailles chez Tim Hortons, tirer avantage de ton métier ne voudra pas dire t'empiffrer chaque jour de beignes graisseux double chocolat. Quoique tu n'aurais aucun problème à le faire, car l'appétit vient en mangeant !

APRÈS LA PLUIE, LE BEAU TEMPS

C'est sûr qu'il ne peut pas pleuvoir éternellement et qu'à un moment donné, il fera beau, mais ce proverbe signifie plutôt que la tristesse va faire place à la joie. Donc, oui, si tu as une peine d'amour, tu t'en remettras un jour. Je dis bien « un jour »...

LA NUIT, TOUS LES CHATS SONT GRIS

La nuit, il est difficile de discerner les gens. Le problème aussi, c'est que la nuit, tous les animaux sont gris : mouffettes, ours et loups. Comme la nuit porte conseil, elle devrait te dire de rester en dedans !

JAMAIS DEUX SANS TROIS

Ce qui arrive deux fois arrivera fort probablement une troisième fois. Sauf, bien entendu, pour ce qui est de la perte d'une jambe...

5 PROVERBES DES PLUS BIZARRES

À CHEVAL DONNÉ, ON NE REGARDE PAS LA BRIDE
(Si on me donne un cheval, je vais surtout regarder la place que j'ai dans la cour...)

QUI TROP EMBRASSE MAL ÉTREINT
(Est-ce moi où on dirait que les mots sont placés dans le désordre ?)

UN TIENS VAUT MIEUX QUE DEUX TU L'AURAS
(Mais ça dépend c'est quoi « ton tiens »...)

QUI SE SENT MORVEUX SE MOUCHE
(Toujours une excellente idée !)

L'OCCASION FAIT LE LARRON
(Du larron, est-ce que ça s'achète chez IGA ?)

si ça te tente !

Le Français Jean de La Fontaine (1621-1695) ne faisait pas que ressembler au regretté acteur Robin Williams. Il a aussi consacré sa vie à l'écriture de poèmes, de pièces de théâtre, de contes et, surtout, de fables. À travers ses fables, Johnny of the Fountain mettait souvent en scène des animaux en leur donnant des comportements humains. Il voulait ainsi illustrer les défauts des gens et les côtés injustes et ridicules de la société. Toutes ses fables comprennent une morale. *Le Lièvre et la Tortue* est la plus connue de ses 243 fables. Voici quelques autres de ses classiques :

© s_bukley

Le Corbeau et le Renard

Un renard tente de piquer le fromage du corbeau en utilisant toute sa ruse. Et il réussit parce que l'oiseau devant lui est particulièrement stupide. La preuve : y a-t-il un oiseau sur Terre qui se nourrit de fromage ?

La Cigale et la Fourmi

Une fourmi tente de faire comprendre à une cigale qu'au lieu de chanter tout l'été, elle aurait peut-être dû chercher de la nourriture et se préparer pour l'automne. La cigale meurt alors de faim après avoir agonisé durant de terribles jours pluvieux.

Le Chêne et le Roseau

Un chêne fait son frais parce que le minable roseau à ses côtés plie au vent alors que lui ne bouge pas d'un poil. Mais un jour, la tempête est si forte que le chêne est déraciné. « Dans ta face ! » lui lance alors le roseau en se replaçant le toupet.

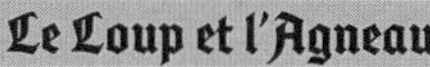

Le Loup et l'Agneau

Un agneau qui boit de l'eau bien tranquille aux abords d'un ruisseau est dérangé par un loup qui cherche le trouble. Plutôt que de manger l'agneau immédiatement, le loup le fait languir, avant de finalement l'étriper et le bouffer tout rond. Monsieur Fontaine, doit-on en déduire que ce sont toujours les plus forts qui gagnent ?

La Grenouille qui veut se faire aussi grosse que le Bœuf

Une grenouille voit un bœuf et se dit qu'elle aimerait bien avoir cette taille. Alors elle se gonfle, se gonfle, jusqu'à ce qu'elle explose. Heureusement, les fables de La Fontaine n'étaient pas illustrées en détail ! La morale de cette fable est que les cuisses de grenouilles sont excellentes avec du beurre à l'ail.

La Poule aux œufs d'or

Un avare possède une poule qui lui pond un œuf en or chaque jour. Une idée de génie le frappe : il va zigouiller le ventre de la poule pour prendre le trésor dans son ventre. Ce qu'il fait… mais la poule n'a rien de spécial dans ses entrailles ! Elle est donc morte pour rien.

Le Rat de ville et le Rat des champs

Un rat de Montréal invite un rat de Farnham à un festin. Le régal est incroyable, mais le bruit du trafic vient troubler la fête. Les rats s'enfuient à la campagne. Le rat de Farnham fait alors comprendre que c'est bien beau la belle bouffe sophistiquée de la ville, mais c'est pas mal plus tranquille dans son village.

La Mort et le Bûcheron

Un bûcheron tente de revenir chez lui avec un tas de bois, mais il est trop épuisé. Il réalise qu'il a travaillé comme un maudit fou toute sa vie sans jamais se reposer. Mais plutôt que de jaser de ses problèmes tout seul et d'avoir l'air fou, il appelle la Mort pour en discuter avec elle.

de La Fontaine pas mal moins connues

Le Coche et la Mouche
Rien à voir avec « péter une coche », un coche est un chariot tiré par des chevaux.

L'Âne chargé d'éponges et l'Âne chargé de sel
Il s'en va où avec ses éponges ?

Le Savetier et le Financier
(Un savetier est un cordonnier; merci *Larousse* !)

Les deux Mulets
La version contemporaine s'intitule *Les Denis Drolet*.

Les Frelons et les Mouches à miel
Un frelon est une sorte de guêpe: *hornet* en anglais, comme l'équipe de basketball de Charlotte, en Caroline du Nord.

La Chatte métamorphosée en Femme
Y'a bien des mononc' qui aimeraient faire des blagues ici...

Le Loup plaidant contre le Renard par-devant le Singe
Est-ce moi où c'est pas évident de situer qui est où ?

Phébus et Borée
Borée est le dieu des vents du nord, et Phébus, le nom d'artiste d'Apollon.

L'Astrologue qui se laisse tomber dans un puits
Les astrologues sont des charlatans, mais on n'en demande pas tant !

Le Lion abattu par l'Homme
Ce lion n'était pas très jasant, semble-t-il.

Le Chien à qui on a coupé les oreilles
Son maître voulait qu'il arrête d'écouter aux portes.

Les Membres et l'Estomac
Il paraît que la morale est difficile à digérer... Bon, un autre jeu de mots plate !

Le Geai paré des plumes du Paon
Ça ne doit vraiment plus paraître que c'est un geai...

Le Renard et les Poulets d'Inde
Du poulet d'Inde, c'est pas ce qu'on appelle de la dinde ?

Le Singe
Eille, Ti-Jean, t'aurais pas oublié le nom d'un deuxième animal dans ton titre ?

10 CHOE À FAIRE QUAND ON EST TROP RICHE

MENER UNE VIE DE JET SET AVEC POOCHY.

SE PROMENER AVEC DES SACS D'ARGENT ET PARLER VRAIMENT TROP FORT.

ACHETER UN KIT À 5000$ À SON CHIHUAHUA.

AMENER UN ALPAGA DANS UN SALON DE COIFFURE.

TRAVERSER LE CANADA AVEC UN *BÉCYK* TROP PETIT.

PAYER À SON CHAT DES COURS D'*ACTING* AVEC GUYLAINE TREMBLAY.

FONDER UNE COMPAGNIE ET NOMMER UN PUG COMME PDG.

PAYER UN ÉTRANGER POUR QU'IL SE PINCE LES MAMELONS À LA SORTIE D'UN WALMART.

FONDER UNE ÉCOLE DE FRISBEE POUR TORTUES.

FOURNIR UNE PERRUQUE AUX HOMMES LES PLUS DÉMUNIS INTELLECTUELLEMENT.

12 VOITURES DE RÊVE POUR DILAPIDER TA FORTUNE

BUGATTI VEYRON

© Max Earey

Ettore Bugatti est né en Italie, mais c'est en France qu'il a créé son entreprise.

LAMBORGHINI GALLARDO

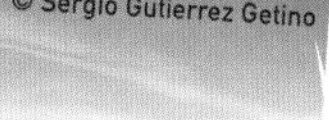

© Sergio Gutierrez Getino

Le fondateur, Ferruccio Lamborghini, s'est d'abord spécialisé dans la construction de tracteurs agricoles.

PORSCHE 911

© TLpixs

Porsche est le nom de famille du fondateur, Ferdinand Porsche.

ALFA ROMEO 4C SPIDER

© Pavlo Baliukh

Alfa Romeo, comme son nom le laisse supposer, est un constructeur italien. La compagnie fait maintenant partie du groupe Fiat Chrysler.

MASERATI GRANTURISMO

© Art Konovalov

Oui, oui, il vient de là, le nom du jeu vidéo ! La série *GranTurismo* date de la toute première PlayStation.

FERRARI 458

Cette compagnie italienne a été fondée en 1947 par Enzo Ferrari.

ASTON MARTIN DB9

Aston Martin est la marque de voitures préférée de James Bond.

JAGUAR F-TYPE

Cette marque de voiture est originaire d'Angleterre. En 2008, elle a été achetée par une compagnie indienne du nom de… Tata Motors !

LOTUS EVORA

Lotus n'est pas le nom de famille du fondateur. Cette compagnie est plutôt l'œuvre de l'ingénieur britannique Colin Chapman.

AUDI R8

Le nom Audi vient de la conjugaison du verbe latin « *audire* », qui signifie « entendre ».

MERCEDES-AMG GT S

Mercedes-Benz est un constructeur allemand.

MCLAREN 570

Cette compagnie britannique est très récente : elle a été créée en 1989. Elle est connue des amateurs de Formule 1.

Le guide pas payant de la monnaie canadienne

La pièce d'un dollar, aussi appelée **huard**, a fait son apparition en 1987. Avant cela, il y avait des billets de papier de cette valeur. Pourquoi ce changement ? Comme les billets se déchiraient facilement et qu'ils circulaient beaucoup (les prix étaient plus bas à cette époque), on devait constamment en réimprimer pour remplacer ceux qui étaient trop usés. Résultat : ça revenait trop cher. En anglais, « huard » se dit ***loon***, ce qui explique pourquoi cette pièce est surnommée ***loonie***.

© Pete Spiro

Un ancien billet d'un dollar. Nous l'avons bien froissé pour l'occasion.

© Johanna Goodyear

Ce billet d'un dollar est encore plus vieux (1954). Je n'en ai personnellement jamais possédé.

© I. Pilon

La pièce de **deux dollars** a fait son entrée en 1996, neuf ans après le huard. Elle remplace, elle aussi, le billet de même valeur. Cette pièce a une durée de vie environ 20 fois plus longue que son équivalent papier.

Dès le début de 2013, la pièce d'un cent, aussi appelée le **sou noir**, a progressivement cessé de circuler. Avis aux collectionneurs, cette pièce va peut-être valoir deux cennes un jour...

© Fat Jackey

Le voilier sur la pièce de 10 cents se nomme le ***Bluenose***. Il est aussi question de ce bateau dans le film ***Les aventuriers du timbre perdu*** sorti en 1988, alors que tes parents ne s'étaient même pas encore rencontrés. Ce film fait lui aussi partie de la série ***Contes pour tous***.

Le côté pile d'une pièce de 25 cents représente un **caribou** et non un orignal, et encore moins un béluga à bois.

© Fat Jackey

© Fat Jackey

COMBIEN DE PIÈCES CONTIENT UN **ROULEAU** DE 5 CENTS ? DE 25 CENTS ? J'AI TOUTES CES RÉPONSES ET ENCORE PLUS ! (4 DE PLUS POUR ÊTRE PLUS PRÉCIS)

1 cent : 50 pièces (0,50 $)
5 cents : 40 pièces (2,00 $)
10 cents : 50 pièces (5,00 $)
25 cents : 40 pièces (10,00 $)
1 dollar : 25 pièces (25,00 $)
2 dollars : 25 pièces (50,00 $)

Le billet de 100 dollars est surnommé « **brun** ». Si une femme se vante d'avoir deux bruns, elle n'a pas deux chums, mais bien 200 dollars. Le beau brun moustachu qu'on trouve sur les billets de 100 dollars n'est nul autre que **Robert Borden**, un ancien premier ministre du Canada que 99,9 % de la population ne connaît ni de nom ni de visage.

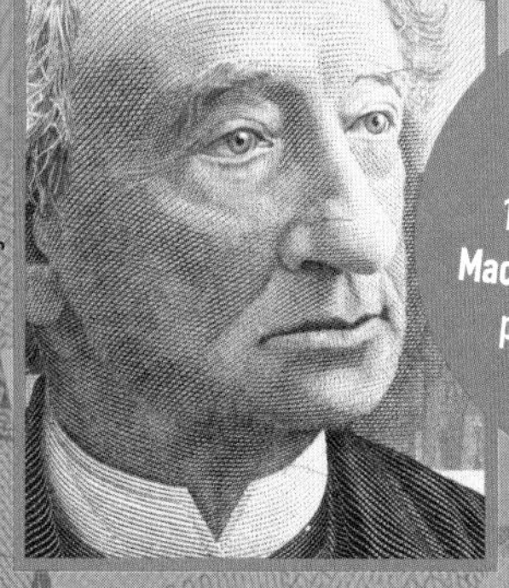
© Georgios Kollidas

Le beau don Juan qui figure sur le billet de 10 dollars est **John A. Macdonald**, le tout premier premier ministre du Canada.

Au cours de ton existence de grand consommateur compulsif sur internet, tu croiseras sûrement les termes **CAD** (dollar canadien) et **USD** (dollar américain).

CAD ▲
USD ▼

Un collectionneur de monnaie est appelé un **numismate**. Plus une monnaie est rare et en bonne condition, plus elle a de valeur. Par définition, un numismate peut aussi collectionner des médailles. Mais comment fait-on pour acheter des **médailles** ? Y a-t-il un marché noir pour les médailles olympiques ? J'enquête là-dessus…

Le signe de dollar canadien s'écrit avec une barre sur le « S » et se place à droite du montant, comme ceci : 9,99 $. Les Américains, eux, placent le signe avant le montant : $ 9,99. Fait à noter, certaines personnes préfèrent mettre deux barres sur le S, fort probablement pour montrer qu'ils sont plus riches !

Héroïque défense de Dollard et de ses compagnons

Quand on parle de la fête de Dollard, ça n'a rien à voir avec notre huard. Il s'agit plutôt de **Dollard des Ormeaux**, un personnage du temps de la Nouvelle-France (XVIIe siècle) dont les exploits suscitent des avis contradictoires. Certains parlent d'un héros, d'autres d'un brigand !

Le mot « salaire » vient du mot « sel ». Autrefois, à l'époque des Romains, aussi bizarre que ça puisse paraître, les gens étaient payés en sel. Puis le sens de « salaire » a été élargi : c'était l'argent que recevaient les travailleurs pour s'acheter sel, nourriture, vêtements et Pepsi diète. Aujourd'hui, si un employeur payait un employé en sel, il se ferait poursuivre en justice et l'amende pourrait être très salée !

DIFFÉRENTES MONNAIES DU MONDE

PESO

Le peso est l'unité monétaire de nombreux pays hispanophones, c'est-à-dire où l'on parle espagnol, tels que le Mexique, Cuba, l'Argentine, le Chili, la Colombie, la République dominicaine et l'Uruguay. À ce groupe de pays d'Amérique latine s'ajoute une surprise : les Philippines (pays d'Asie). Comme c'est le cas pour le dollar canadien et américain, chaque pays a ses propres pesos. On ne peut donc pas payer 100 pesos mexicains avec 100 pesos argentins. Bizarrement, le signe de peso est le même que pour le dollar canadien, c'est-à-dire $ (sauf pour les Philippines).

Tu as aussi le droit d'écrire « péso » avec un accent aigu, ça ne coûte rien.

Sur ce billet de 3 pesos cubains apparaît nul autre qu'Ernesto « Che » Guevara, un homme politique qui a sa face imprimée sur bien des t-shirts. Il est né en Argentine (1928), a participé à la révolution cubaine de Fidel Castro (un événement historique assez complexe) et est mort en Bolivie (1967).

EURO

L'euro, dont le symbole est un E stylisé (€), est arrivé en grande pompe le 1er janvier 2002. Près de 20 pays d'Europe font partie de la zone euro, notamment la France, l'Allemagne, l'Autriche, la Belgique, l'Espagne, le Portugal, les Pays-Bas et la Finlande. Le fonctionnement des euros est sensiblement le même que pour le dollar. Nous avons des cents, eux ont des centimes. Il y a donc 100 centimes dans un euro. Un euro vaut habituellement plus cher qu'un dollar. En convertissant son argent, un touriste européen reçoit entre 1,30 et 1,50 $ CAD par euro, selon le taux de change en vigueur. Donc si tu vois un touriste français capoter dans un magasin, sache qu'il vient de réaliser qu'il en a beaucoup pour son argent !

AVANT L'EURO

L'identification des anciennes monnaies est assez fréquente dans les jeux-questionnaires. Étudie bien cette section et je te promets une bonne réponse à un moment donné !

FRANCE = FRANC

ITALIE = LIRE

ESPAGNE = PESETA

AUTRICHE = SCHILLING

IRLANDE = LIVRE

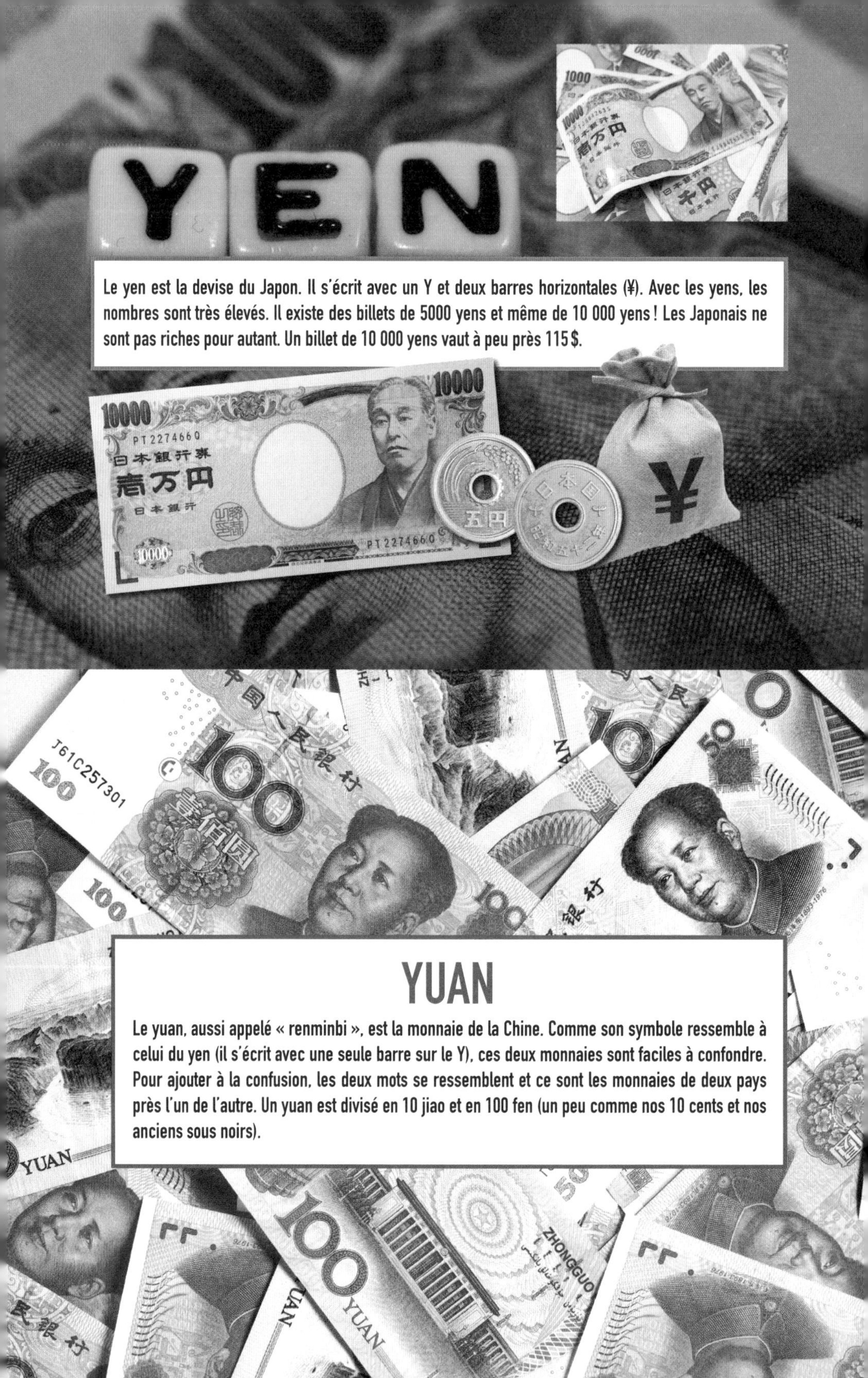

YEN

Le yen est la devise du Japon. Il s'écrit avec un Y et deux barres horizontales (¥). Avec les yens, les nombres sont très élevés. Il existe des billets de 5000 yens et même de 10 000 yens ! Les Japonais ne sont pas riches pour autant. Un billet de 10 000 yens vaut à peu près 115 $.

YUAN

Le yuan, aussi appelé « renminbi », est la monnaie de la Chine. Comme son symbole ressemble à celui du yen (il s'écrit avec une seule barre sur le Y), ces deux monnaies sont faciles à confondre. Pour ajouter à la confusion, les deux mots se ressemblent et ce sont les monnaies de deux pays près l'un de l'autre. Un yuan est divisé en 10 jiao et en 100 fen (un peu comme nos 10 cents et nos anciens sous noirs).

COURONNE

La couronne est la monnaie de quelques pays européens : le Danemark, la Suède, la Norvège, l'Islande et la République tchèque. Comme pour le dollar et le peso, chacun de ces pays a ses propres couronnes. En Suède, on ne peut donc pas payer avec des couronnes islandaises et encore moins avec sa couronne Burger King !

Tu ne pensais pas apprendre de mots suédois dans ce livre, hein ? *Fem hundra kronor* signifie « 500 couronnes ».

Le norvégien ressemble beaucoup au suédois, comme on peut le constater sur ce billet de *fem hundre kroner.*

En danois : *fem hundrede kroner.*
Ça ressemble en titi au norvégien !

En islandais, maintenant : *fimm hundrud kronur.*

Bon, la République tchèque casse le party avec son billet de *pět set korun* !

UN PEU PARTOUT SUR INTERNET, ON PEUT LIRE...

NOUS AVALONS EN MOYENNE 8 ARAIGNÉES PAR ANNÉE DURANT NOTRE SOMMEIL.

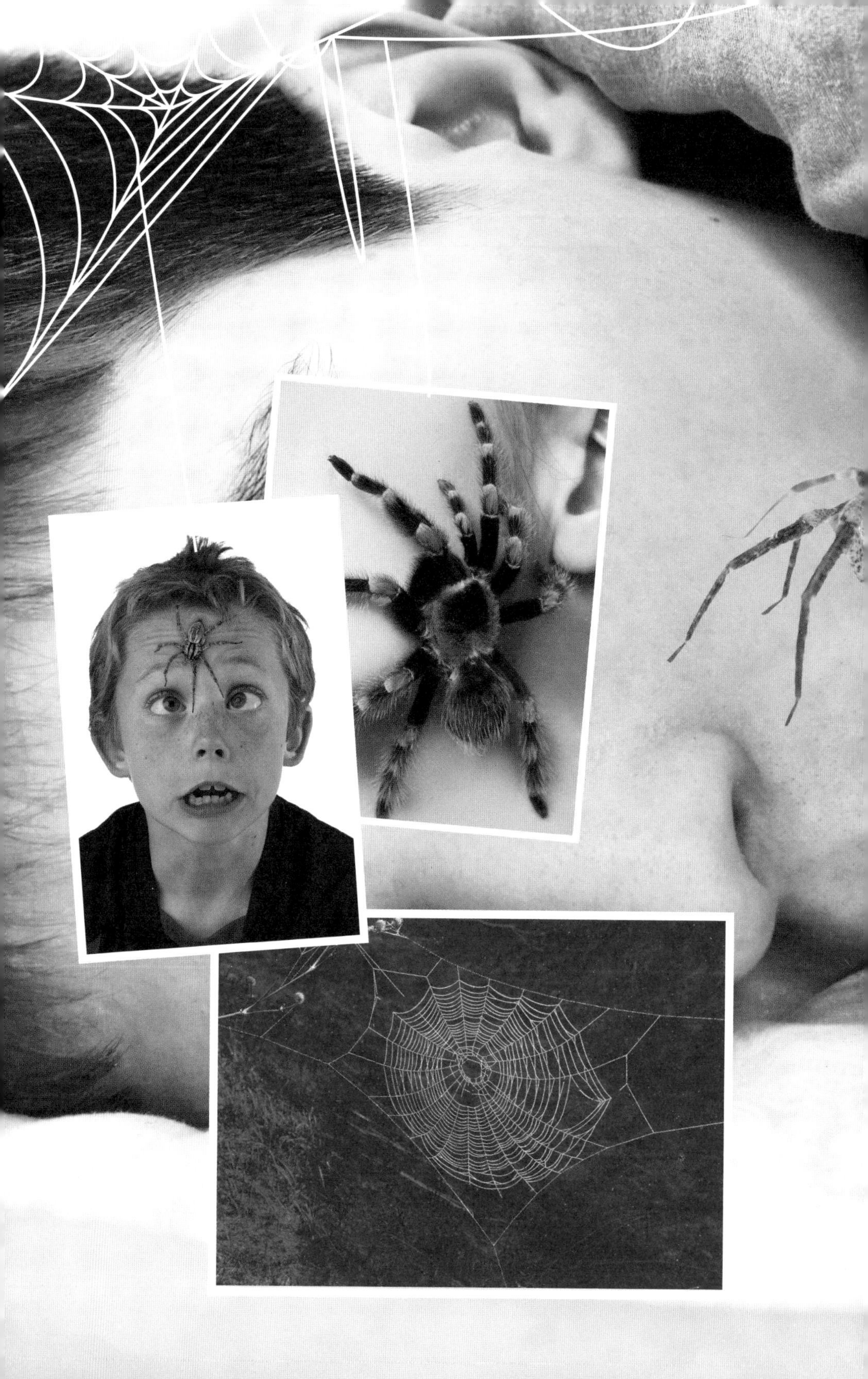

MAIS MOI, JE TE DIS QUE...

C'est de loin le mythe le plus farfelu que j'ai croisé dans mes recherches ! Les araignées, comme la majorité des animaux et des insectes, n'aiment pas la présence des humains. À part les torrieux de maringouins et les satanées mouches à chevreuil, toutes les bestioles nous évitent, un peu comme moi j'éviterais les dinosaures s'ils n'étaient pas extinctés... extindus... extinctisés... disparus ! À l'école comme dans la nature, règle générale, ce qui est plus gros que soi effraie.

Pour une araignée, une personne immobile qui respire fort est plus terrorisante qu'autre chose. Pose-toi la question : pourquoi une araignée irait-elle se réfugier dans notre bouche ? Serait-elle tant attirée par notre mauvaise haleine ? Veut-elle jouer au ballon-poire avec notre luette ?
Mais pour avaler une araignée, encore faudrait-il dormir la bouche ouverte. Or, la plupart des gens dorment la bouche fermée. Même que certains grincent des dents. Ceux qui dorment la bouche ouverte sont bien souvent des ronfleurs. Crois-moi, une araignée n'ira pas jouer près d'une grosse roche qui imite le bruit d'une tondeuse !

En plus de dormir la bouche ouverte, il faudrait avaler l'araignée d'un coup sans s'en rendre compte. Fais le test. Pique un raisin sec dans une boîte de Raisin Bran, infiltre-toi dans la chambre de tes parents à pas de souris et assure-toi que ton père dort sur le dos. Si jamais sa bouche est fermée, pince-lui le nez. Il ne se laissera pas mourir et relâchera automatiquement ses mâchoires. Maintenant, laisse tomber le raisin en visant les amygdales. Je te garantis qu'il ne l'avalera pas. Il va plutôt s'étouffer, se réveiller en sursaut et t'engueuler comme du poisson pourri. Un bon moment en perspective !

Il est théoriquement possible qu'une personne avale une araignée en dormant. Dans toute l'histoire de l'humanité, c'est sûrement arrivé une fois. Peut-être deux. Probablement à un homme des cavernes. J'espère pour le malchanceux ou la malchanceuse que ce n'était pas une tarentule poilue...

1000 VÉRITÉS (ou presque) À PROPOS DES ARAIGNÉES

LES ARAIGNÉES NE SONT PAS DES INSECTES.

Les araignées n'ont pas six pattes, elles en ont huit. En partant, elles sont exclues du club des insectes. Elles ne possèdent ni antennes ni ailes, ce qui n'aide pas leur cause. Les araignées font partie de la classe des arachnides, tout comme les scorpions et les acariens. Finalement, la seule chose que les araignées ont en commun avec les insectes, c'est de faire peur aux mamans. Oh, le commentaire sexiste !!!!

LA MAJORITÉ DES ARAIGNÉES ONT 8 YEUX.

Huit yeux ! On se dit : « Wow, elles doivent avoir une vision bionique ! » Eh non ! Paraît-il qu'elles ne voient pas si bien que ça. Elles ont donc un œil pour chaque patte. C'est logique, car nous avons deux yeux et deux jambes. Maintenant, il reste à comprendre pourquoi les quadrupèdes n'ont pas quatre yeux...

L'ARACHNOPHOBIE EST LA PEUR DES ARAIGNÉES.

Si jamais tu deviens blanc comme un drap à la vue d'une araignée, que tu cries comme un hystérique, que tu grimpes sur une table et qu'un liquide chaud te coule sur la cuisse, c'est signe que tu devrais consulter un psychologue... ou t'acheter une caisse de Raid !

LE SPÉCIALISTE DES ARAIGNÉES S'APPELLE UN ARACHNOLOGUE.

L'arachnologie est une branche de la zoologie, qui elle, est une branche de la biologie. L'arachnologie est l'étude des arachnides, donc des araignées, mais aussi des scorpions et des acariens. L'étude exclusive des araignées se nomme l'aranéologie. L'aranéologie est une branche de l'arachnologie. La branche est dans l'arbre, l'arbre est dans ses feuilles, Marilon, Marilé !

CERTAINES TARENTULES PEUVENT VIVRE JUSQU'À 20 ANS.

Une araignée commune vit un an ou deux, mais certaines tarentules meurent après l'âge de la majorité. Elles peuvent donc voter et acheter de la bière au dépanneur !

LA VEUVE NOIRE MANGE LE MÂLE APRÈS L'ACCOUPLEMENT.

Attention, c'est vrai et faux à la fois. C'est un comportement qui a été observé, mais qui n'est pas systématique. Des fois, la femelle a autre chose de mieux à faire que de bouffer son partenaire.

LES ARAIGNÉES ENTENDENT GRÂCE À LEURS PATTES.

Les araignées n'entendent pas vraiment comme nous. Elles entendent grâce à des poils sur leurs pattes. En fait, elles ressentent plutôt les vibrations. Alors tu peux parler autant que tu veux à une araignée, lui expliquer gentiment qu'elle s'est trompée de maison, elle ne comprendra pas un seul mot de ce que tu lui raconteras !

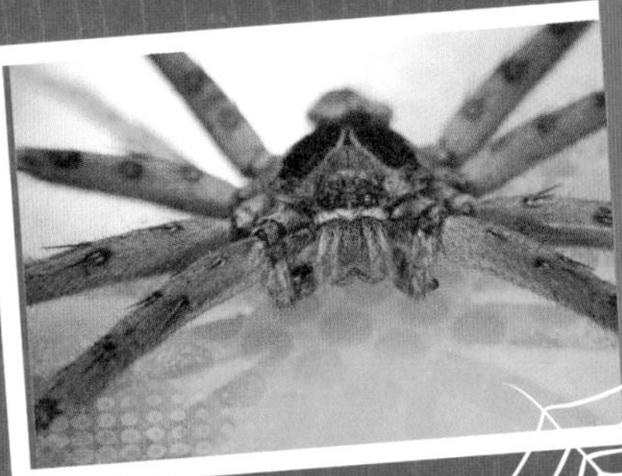

LA MAJORITÉ DES ARAIGNÉES SONT INOFFENSIVES.

Les araignées qui mordent les humains ne sont pas si dangereuses. Rares sont celles capables de nous rendre malades. Cela dit, une araignée poilue grosse comme un bagel, ça ne donne pas le goût de déjeuner en sa compagnie.

LES ARAIGNÉES MANGENT LEUR TOILE.

Il n'est pas rare qu'une araignée mange sa toile lorsque celle-ci n'est plus aussi efficace. Ça lui permet de recycler sa soie. On est écolo ou on ne l'est pas !

Un p'tit tour du globe

Certaines personnes mangent des tarentules !

Sur cette photo, une Cambodgienne essaie de vendre ses tarentules frites. Non merci, je viens de manger des toasts au beurre de pinottes !

Au Québec, tu peux te baigner dans le lac aux Araignées.

Ce lac ne porte pas ce nom en raison des araignées aquatiques qui pourraient l'habiter, mais bien à cause de sa forme qui rappelle celle de l'araignée. Ce superbe lac est situé dans la ville de Frontenac, à une vingtaine de minutes au sud de Lac-Mégantic, tout près du Maine, un État américain. OK, ça fait beaucoup de géo dans une seule phrase !

Le voici sur Google Maps (la forme du lac ressemble aussi à celle d'un biscuit Whippet écrasé !)

Le pont de l'Araignée est l'un des plus hauts ponts suspendus d'Europe.

Ce pont, également appelé le « pont suspendu de Niouc », est situé en Suisse. Hauteur : 190 mètres. Longueur : 200 mètres. Largeur : 50 centimètres. Euh... tu ne risques pas de me croiser là !

J'ai rebaptisé le pont de Brooklyn le Spider Bridge.

Je te laisse deviner ce qui m'a donné l'idée... Pour ta culture personnelle, ce pont new-yorkais, datant de 1883, passe par-dessus la East River et relie les arrondissements de Brooklyn et Manhattan.

Un village en Caroline du Sud s'appelle Spiderweb!

En français, *spiderweb* signifie «toile d'araignée». Ça semble tellement peu habité et important que Spiderweb n'est même pas considéré comme une ville ou un village. On parle tout simplement d'une «place». Il y a aussi Spider au Kentucky à seulement 6 heures de voiture de Spiderweb...

TOP 30

DES PETITES COMMUNAUTÉS ET PETITS VILLAGES AMÉRICAINS AUX NOMS LES PLUS BIZARRES!

Tu trouves que Spiderweb est un drôle de nom toponymique? Ce n'est rien, lis ce qui suit! Traductions libres entre guillemets.

30. Smile (Kentucky), «Sourire»
29. Brilliant (Ohio)
28. Surprise (Californie)
27. Deadhorse (Alaska), «Cheval mort»
26. Tennis (Kansas)
25. Loveladies (New Jersey), «Des femmes d'amour»
24. Unalaska (Alaska), «Pas-l'Alaska» ou «Désalaska»
23. Whynot (Mississippi), «Pourquoi pas?»
22. Dead Woman Crossing (Wyoming), «Traversée de la femme morte»
21. Nameless (Texas), «Sans nom»
20. Ocheesee Landing (Floride), «Port O'Quétaine»
19. Gore (Oklahoma), «Horreur»
18. Kissimmee (Floride), «Embrasse-moi»
17. Badwater (Californie), «Mauvaise eau»
16. Weed (Californie), «Cannabis»
15. Disco (Tennessee)
14. Cheesequake (New Jersey), «Tremblement de fromage»
13. Hell (Michigan), «Enfer»
12. Nowhere (Oklahoma), «Nulle part»
11. Gas City (Indiana), «Ville du gaz»
10. Santa Claus (Arizona), «Père Noël»
9. Accident (Maryland)
8. Fagg (Virginie), «Tapette»
7. Sandwich (Massachusetts)
6. Dildo Key (île en Floride), «Clé du vibrateur»
5. Kickapoo (Kansas), «Kicke une crotte»
4. Nothing (Arizona), «Rien»
3. Slickpoo (Idaho), «Caca lisse»
2. Boring (Oregon), «Ennuyant»
1. Pee Pee Township (Ohio), «Canton du pipi»

TOUT CE QUE TU NE VEUX PAS SAVOIR SUR SPIDER-MAN

Spider-Man est aussi connu en français sous le nom de l'Homme-Araignée, quoique ce nom tende à disparaître. Ce superhéros a été créé par le scénariste Stan Lee (aussi le papa de Hulk) et Steve Ditco, et est apparu pour la première fois en 1962, soit bien après Batman et Superman.

L'histoire? Suite à la mort de ses parents, un jeune orphelin du nom de Peter Parker va vivre chez son oncle et sa tante. Un jour, alors qu'il niaise dehors en attendant que la partie des Canadiens de Montréal commence, il est mordu par une araignée radioactive (il est aussi question de radioactivité dans *Hulk*) et découvre par la suite qu'il est doté de pouvoirs extraordinaires. Lorsque son oncle est tué, il utilise tous ses pouvoirs pour le venger et combattre le crime... sous le nom de Spider-Man!

LE BEAU TOBEY!

LE ENCORE PLUS BEAU* ANDREW! (*SELON UN SONDAGE EFFECTUÉ AUPRÈS DE 100 ADOLESCENTES HYSTÉRIQUES)

Plus de 50 ans après sa création, force est d'admettre que Spider-Man ne perd pas de sa popularité. D'ailleurs, entre 2002 et 2014, pas moins de 5 films le mettant en vedette sont sortis. La première trilogie mettait en vedette Tobey Maguire dans le rôle-titre, et les deux derniers, Andrew Garfield. En 2016, Spider-Man est apparu dans *Captain America: Civil War* avec cette fois Tom Holland dans les leggings bleus. Le jeune Britannique remet ça en 2017 avec *Spider-Man: Homecoming*.

PIS LE P'TIT NOUVEAU, TOM (ON DIRAIT QUE SPIDER-MAN RAJEUNIT TOUT LE TEMPS!)

EN 2012, LE PRÉSIDENT OBAMA A ÉTÉ ATTAQUÉ PAR UN JEUNE SPIDER-MAN QUI AVAIT AUPARAVANT MIS K.O. TOUS SES GARDES DU CORPS.

7 METS PLUS ÉCŒURANTS LES UNS QUE LES AUTRES

Tu as peur d'avaler une araignée ? Tu imagines le goût horrible ? Le crounch horripilant quand les pattes se brisent sous l'action de tes mâchoires meurtrières ? Rassure-toi, il y a bien pire...

NATTO

Le natto est un mets typiquement japonais fait de haricots de soya fermentés. C'est la texture gluante et l'odeur qui sont, paraît-il, difficiles à surmonter. Le natto est souvent accompagné de riz et consommé... au déjeuner !

Gluant, c'est pas le mot !!!!

ESCAMOLES

Ç'a l'air bon, n'est-ce pas ? En fait, ce sont des larves de fourmis récoltées dans les racines de l'agave, la plante donnant la tequila. Il s'agit d'un plat mexicain. Pour ma part, les tacos me suffisent !

BOODOG

Le boodog est un mets mongol (dans le sens du pays !). La chèvre ou la marmotte (photo) est cuite en insérant des roches chaudes dans son ventre. Après la pizza cuite au four, voici la marmotte cuite sur roches !

BALUT

La balut, populaire dans plusieurs pays asiatiques, consiste en un embryon de caneton bouilli et mangé dans sa coquille. Il est habituellement servi avec une bière fraîche. En effet, mieux vaut être saoul pour avaler un tel plat !

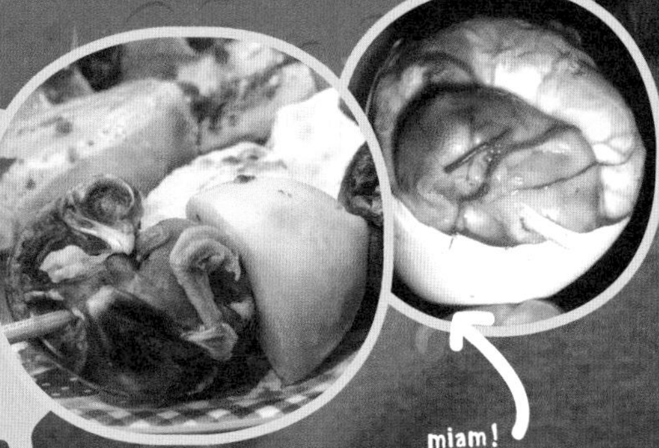

miam !

CAZU MARZU

Le cazu marzu est un fromage de chèvre italien infesté de larves d'un insecte appelé la mouche du fromage. Pour ma part, je préférerais manger du Vieux Boulogne...

SANNAKJI

Ce mets coréen ne coûte pas cher en cuisson ! Ce sont des pieuvres vivantes coupées en morceaux et servies immédiatement avec un peu d'huile et des graines de sésame. Le mot « immédiatement » est la clé : les tentacules bougent encore dans l'assiette... et dans la bouche !

SOUPE AU PÉNIS

Ce n'est pas une blague ! Dans plusieurs pays asiatiques, notamment la Chine et la Malaisie, le pénis de bœuf (taureau) se mange en soupe. Pas besoin de te dire que c'est long, cette affaire-là ! L'avantage : on peut préparer plusieurs bols de soupe avec un seul pénis ! Il n'y a pas que le zwiz du bœuf qui est consommé en soupe. Celui du tigre aussi ! Je ne regarderai plus jamais les boîtes de Frosted Flakes de la même façon...

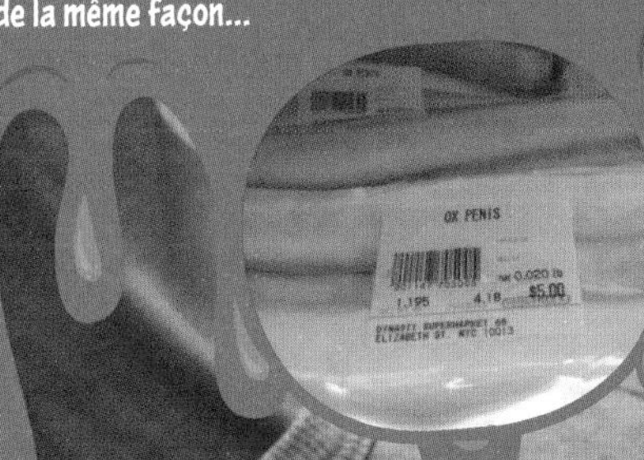

À BIEN Y REPENSER...

J'ai de la difficulté à concevoir qu'une personne puisse manger de telles choses. Mais tu sais, ce qui est dégueulasse pour l'un ne l'est pas nécessairement pour l'autre. Sais-tu quel est mon repas préféré ? La soupe tonkinoise. Mais pas n'importe laquelle. J'ai mon restaurant vietnamien préféré à Montréal, dans le quartier Côte-des-Neiges. Je fais des détours pour déguster la soupe numéro 11 sur le menu : celle contenant des carrés de tendons. J'aime tellement les tendons que j'en demande en extra. Ma blonde grimace lorsque je mets ces morceaux de Jell-O grisâtre dans ma bouche. Un pur délice !

ON ENTEND SOUVENT...

TU AS PLUS DE CHANCES DE TE FAIRE FRAPPER PAR UNE AUTO EN ALLANT AU DÉPANNEUR QUE DE MOURIR EN AVION.

SOS

MAIS MOI, JE TE DIS QUE...

La peur de l'avion est assez répandue. Personnellement, lorsque mon avion décolle, j'avoue que je ne suis pas très jasant. Je prie pour qu'il tienne le coup. Et lorsqu'il y a de la turbulence, mes mains se crispent et je repense aux plus beaux moments de mon existence. Peureux, tu dis ? Mets-en !

Il faut dire aussi qu'au cinéma, les catastrophes en avion surviennent assez souvent, ce qui n'aide pas. Dans les films d'action, les vols sont rarement de tout repos.

Pourquoi a-t-on peur en avion ? La raison est toute simple. Quand un avion s'écrase, nos chances de survie sont pas mal plus minces que si on fonçait dans le *rack à bécyk* avec son vélo ! De plus, si l'avion est en chute libre, on ne peut pas faire grand-chose pour aider sa cause, à part crier comme un malade. En voiture, au moins, on peut tenter des manœuvres afin de reprendre le contrôle et ainsi éviter l'accident à la dernière seconde.

Pour démontrer qu'il n'est pas du tout dangereux de prendre l'avion, certains prétendent qu'il est plus probable d'avoir un accident en allant s'acheter du pain au dépanneur. C'est vrai. Mais cet argument est assez limité. Je peux aussi bien essayer de te convaincre d'aller faire du *bungee* sur un pont en te disant : « Y'a rien là, tu pourrais te faire frapper en allant t'acheter un Mr. Freeze au dépanneur. »

On entend aussi qu'il y a bien plus d'accidents de voiture que d'avion. Ben, là, j'espère ! Il y a beaucoup plus de voitures en circulation ; il serait anormal qu'il y ait plus d'accidents d'avion. Sinon, ça voudrait dire qu'on a de sérieux problèmes technologiques. Mais encore une fois, cet argument a ses limites. Tant qu'à y être, on devrait se déplacer en fusée, il y a bien moins d'accidents mortels en fusée qu'en avion !

Bon, là, je suis encore de mauvaise foi. Proportionnellement, il y a moins d'écrasements d'avion que d'accidents mortels en voiture. En plus, un accident de voiture non mortel peut avoir des conséquences très graves.

Alors, est-ce dangereux de prendre l'avion ? Il faut savoir qu'il y a une centaine d'écrasements chaque année. Conséquence : entre 500 et 1000 décès. Des fois plus, des fois moins. Quand on regarde ces chiffres, ça semble plutôt rassurant. En fait, être victime d'un écrasement d'avion, c'est comme raffoler des radis : c'est assez rare... mais ça se peut ! Ce qui est réconfortant, c'est que ces chiffres sont à la baisse. Il y a 30-40 ans, il n'était pas rare que le nombre de décès dépasse les 2000 par année.

Une chose demeure certaine, peu importe ce que tu fais, il y a toujours un risque. Si jamais tu lis ce livre sous un palmier, peut-être qu'une noix de coco va te tomber sur le coco et te tuer sur le coup. Alors moi, à ta place, je ne le lirais qu'en avion.

LES FESTIVALS LES PLUS BIZARRES DU MONDE !

Tu n'as pas peur de l'avion ? Essaie de convaincre tes parents de t'emmener à l'un de ces festivals des plus insusités !

TOMATINA

Lieu : Espagne

Tu as probablement entendu parler de ce festival où une grosse bataille de tomates est organisée. Il y a une règle importante : on doit écraser les tomates avant de les lancer. Le festival a lieu le dernier mercredi du mois d'août à Buñol, complètement à l'ouest du pays dans la province de Valence. Il existe depuis 1945. En 2015, les participants se sont garroché à peu près 160 tonnes de tomates ! Imagine tout le ketchup qu'on aurait pu produire...

© Iakov Filimonov

© Migel

© Iakov Filimonov

LULING WATERMELON THUMP

Lieu : États-Unis

C'est en quelque sorte le festival du melon d'eau. Il a lieu à la fin du mois de juin au Texas. Les deux concours les plus populaires sont le « crachage » de noyaux et le « mangeage » de melons d'eau. Ça donne des scènes pour le moins dégoûtantes et colorées, comme en témoignent les nombreux clips que tu peux visionner sur internet. Je ne te dis pas le nom du site, mais ça finit par « Tube ».

ROODHARIGENDAG

Lieu : Pays-Bas

Le nom anglais de ce festival est Redhead Day. Il s'agit ni plus ni moins d'un festival de roux. Tu es roux ou rousse et tu veux célébrer avec des milliers de gens comme toi, dont Ronald McDonald ? Achète ton billet d'avion pour les Pays-Bas et tu pourras admirer une mer de taches de rousseur !

© Ruuc Morijn Photographer

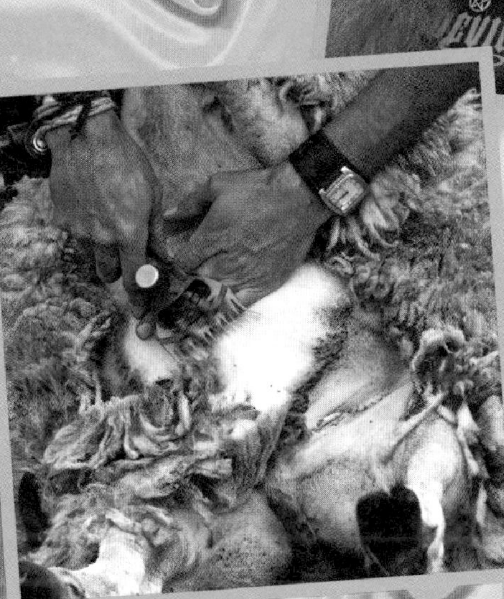

GOLDEN SHEARS

Lieu : Nouvelle-Zélande

Il s'agit d'un festival ayant plusieurs concours, dont le plus couru : le tondage de moutons. Celui qui tond son mouton le plus rapidement remporte le titre. Il y a aussi des concours de manipulation de laine. Le site officiel ne mentionne pas s'il y a un concours de tricot de pantoufles...

SONGKRAN

Lieu : Thaïlande

Durant les quelques jours de fête, tous les habitants s'arrosent. Chaudières d'eau glacée, fusils à l'eau, tout y passe. Il s'agit des célébrations du Nouvel An bouddhique.

© SIHASAKPRACHUM

© thinkphotop

© Blue Sky Studio

© drpnncpptak

FESTIVAL EL COLACHO

Lieu : Espagne

Ce festival est aussi connu sous le nom de Baby Jumping Festival. Le principe? Un homme vêtu d'un costume de diable (Colacho) saute par-dessus des bébés couchés sur des matelas afin de les protéger des mauvais esprits. Cette tradition daterait du XVIIe siècle. Disons que le qualificatif « bizarre » n'est pas tout à fait assez fort...

TURKEY TESTICLE FESTIVAL

Lieu : États-Unis

Ce festival, qui se déroule en Illinois, demande beaucoup de couilles et ne dure qu'une seule journée, car les gens sont invités à manger... des testicules de dindons ! Il paraît que c'est très bon. En faisant des recherches, j'ai remarqué que ce n'était pas le seul festival de testicules aux États-Unis. La prochaine fois que tu voyages chez nos voisins et qu'il y a du *spaghetti with meat balls* au menu d'un restaurant, pose-toi des questions !

Sauve-toi, mon p'tit coco, le festival approche !

CARNAVAL D'IVRÉE

Lieu : Italie

Semblable à la Tomatina, on fait ici une bataille d'oranges. Pas besoin d'études en agronomie pour savoir qu'une orange, ça fait pas mal plus mal qu'une tomate. Ce n'est pas pour rien que les combattants portent des armures et des casques !

© Paolo Bona

© ROBERTO ZILLI

© Paolo Bona

© ROBERTO ZILLI

THE COOPER'S HILL CHEESE-ROLLING AND WAKE

Lieu : Royaume-Uni (Angleterre)

Pour avoir vu un documentaire sur le sujet, c'est de loin mon festival préféré. Du haut d'une colline très à pic du nom de Cooper's Hill, située dans le village de Brockworth, on fait dévaler la pente à une énorme meule de fromage. Au signal, des dizaines de personnes s'élancent. Le premier qui arrive en bas et attrape la meule gagne le bloc de fromage pesant 9 livres. Tu l'auras peut-être compris, il s'agit d'un concours ludique. D'ailleurs, plusieurs participants y vont costumés. Y'a rien là que tu te dis ? Va voir sur YouTube et tu y verras des bras cassés, des genoux tordus et des civières. Ça aurait facilement pu s'appeler The Cooper's Hill Pétage De Gueules Festival. Très spectaculaire !

PLANE AVEC CES CONNAISSANCES SUR LES AVIONS

(Je te confirme qu'il ne s'agit pas du dernier jeu de mots !)

L'**aéronautique** est la science qui s'intéresse à la navigation aérienne. Pour les tripeux de moteur, voilà un beau champ d'études. L'**avionique** est une branche de l'aéronautique et s'intéresse plus particulièrement aux avions. Encore une histoire de branche. . .

Les mots « avion » et « aéroport » sont **masculins**. Tu peux donc arrêter de dire : « C'est une grosse aéroport, regarde les belles avions ! »

© motive56

© Ken Wolter

Boeing, dont le siège social est situé à Chicago, est l'un des plus importants constructeurs d'avions au monde. Sache que « Boeing 747 » n'est qu'un numéro de modèle et n'a rien à voir avec le nombre de passagers pouvant y prendre place. Son principal concurrent est la compagnie **Airbus**.

Ceci n'est pas le fleuve Saint-Laurent !

haveseen

Un **hydravion** est un avion conçu pour décoller et se poser sur l'eau. Dans ce deuxième cas, on dit alors qu'il **amerrit** (contrairement à atterrir).

Un avion **supersonique** dépasse la vitesse du son. Pour te donner une idée, le son voyage à 340 mètres par seconde dans l'air, soit 1224 km/h. C'est 12 fois plus rapide que la limite de vitesse sur l'autoroute ! À cette vitesse, le trajet Montréal-Québec prendrait environ 15 minutes.

Le **Concorde** est l'un des avions supersoniques les plus connus, mais il n'est plus en usage aujourd'hui.

Le nombre de **Mach** est le rapport de vitesse d'un avion par rapport à la vitesse du son. Les formules sont compliquées, mais grosso modo, plus le nombre de Mach est élevé, plus l'avion va vite. À Mach 1, l'avion va à la vitesse du son. À Mach 2, 3 et 4, on parle d'un avion supersonique. Rendu à Mach 5, si le pilote n'est pas encore mort, on parle d'un avion **hypersonique**. Ce n'est pas un hasard s'il existe des rasoirs de marque Mach 3. On sait tous que les pilotes de jets aiment se raser au boulot !

Un **porte-avions** est un navire de guerre qui sert au transport, au décollage et à l'atterrissage (le vrai terme est « appontage ») des avions militaires. Bref, croiser un porte-avions en vacances n'est jamais bon signe. . .

Le **cockpit** est l'espace réservé au pilote. En français, mieux vaut l'appeler le poste ou la cabine de pilotage.

Les **agents de bord** sont les personnes en uniforme qui se promènent durant le vol pour veiller à la sécurité des passagers, distribuer des collations et replacer les lunettes des vieillards endormis. Comme ce métier était auparavant pratiqué quasi exclusivement par des femmes, on parlait d'**hôtesses de l'air**, mais ce terme est aujourd'hui considéré comme péjoratif. De toute façon, de plus en plus d'hommes pratiquent ce boulot qui comprend bien des hauts et des bas (dans le sens de décollages et d'atterrissages; je t'avais prévenu que ce n'était pas le dernier calembour!).

La petite fenêtre à côté de laquelle la plupart des passagers veulent s'asseoir s'appelle un **hublot**. D'autres préfèrent écarter leurs jambes côté allée et se faire défoncer les rotules par les chariots poussés par les agents de bord. Et il y a les malchanceux qui se retrouvent sur le siège du milieu, pris en sandwich entre celui qui s'évache et l'autre qui admire les nuages en répétant à voix haute à quel point les villes, vues de haut, « c'est spécial » !

Devant chaque siège se trouve un petit sac en papier de couleur blanche ou brune. On l'appelle communément le **p'tit sac à vomi**. À noter que sa petitesse peut créer des débordements.

Tarmac est le nom d'une marque de bitume anciennement utilisée comme revêtement de chaussée dans les aéroports. Aujourd'hui, ce mot désigne simplement l'asphalte où circulent les avions.

L'avion privé du président américain s'appelle **Air Force One**. Sur cette magnifique photo prise alors que je faisais du deltaplane dans le Dakota du Sud, l'*Air Force One* survole le mont Rushmore. C'est sur cette montagne que sont gravées les binettes d'anciens présidents. De gauche à droite: George Washington, Thomas Jefferson, Theodore Roosevelt (un peu caché) et Abraham Lincoln.

© Ronnie Chua

Il existe deux types de vols : directs et avec escale(s). Une **escale** est un arrêt en cours de route vers la destination finale. L'avion peut s'arrêter pour plusieurs raisons : procéder au ravitaillement, embarquer/débarquer des passagers, changer de membres du personnel, acheter des pinottes, etc.

Chaque aéroport a un code de trois lettres. Par exemple, le code de l'aéroport Pierre-Elliott-Trudeau est **YUL**. Contrairement à celui-ci, le code des autres aéroports est habituellement logique, comme c'est le cas pour l'aéroport de Paris-Charles-de-Gaulle (**CDG**) et l'aéroport international de Los Angeles (**LAX**). Pourquoi le X ? En fait, il n'a pas de signification particulière. Auparavant, le code de l'aéroport était LA, mais quand les codes sont passés de 2 à 3 lettres à partir des années 1930, LA est simplement devenu LAX.

7 AÉROPORTS

QUE TU DOIS CONNAÎTRE... OU PAS!

Hartsfield-Jackson (Atlanta, États-Unis)
Code : ATL

Année après année, l'aéroport international Hartsfield-Jackson d'Atlanta est l'aéroport le plus fréquenté dans le monde. Atlanta est la capitale de la Géorgie, l'État situé tout juste au nord de la Floride.

© Rob Wilson

© ESB Professional

DANS LES DENTS !!!
En 1996, lors des Jeux olympiques d'été d'Atlanta, le sprinter québécois Bruny Surin a remporté une médaille d'or au relais 4 X 100 mètres, devant les favoris américains, qui couraient devant leurs supporteurs !

O'Hare (Chicago, États-Unis)
Code : ORD

L'aéroport international O'Hare de Chicago porte le nom d'un aviateur américain célèbre (Edward O'Hare). Chicago est de loin la ville la plus peuplée de l'Illinois, mais n'en est pas la capitale. Il s'agit plutôt de Springfield. Sache que des dizaines de villes portent ce nom aux États-Unis, dont Springfield en Oregon, la ville qui a inspiré le Springfield des *Simpsons*, selon nul autre que Matt Groening, le créateur de la série.

© William Perugini

Heathrow (Londres, Royaume-Uni)
Code : LHR

L'aéroport de Londres-Heathrow est l'un des plus achalandés dans le monde. Il se classe habituellement troisième, derrière Atlanta et Beijing. En anglais, Londres, c'est London. Fais attention, il y a aussi un London en Ontario. Par contre, si un de tes proches t'annonce qu'il planifie un voyage à London, ne lui demande pas lequel !

© Tupungato

John F. Kennedy (New York, États-Unis)
Code : JFK

L'aéroport international de New York-John F. Kennedy est plus souvent appelé l'aéroport JFK. Il porte le nom de John Fitzgerald Kennedy, probablement le président des États-Unis le plus célèbre. Ce dernier a été assassiné à Dallas en 1963, et sa mort demeure mystérieuse. Plus de détails dans un des prochains volumes de *Couche-toi moins niaiseux*...

Johnny, c'est lui !

© Chris Parypa Photography

Charles-de-Gaulle (Paris, France)
Code : CDG

Et lui, c'est Charlie !

L'aéroport de Paris-Charles-de-Gaulle est aussi appelé l'aéroport Roissy. Le général Charles de Gaulle était un homme d'État français bien connu des Québécois. Il est célèbre pour avoir prononcé cette phrase en 1967 : « Vive le Québec libre ! » Si ce n'est pas déjà fait, tu verras sûrement ce bout d'anthologie à la télévision ou sur internet un jour.

© hans engbers

Pékin (Beijing, Chine)
Code : PEK

Au début des années 2000, l'aéroport international de Pékin (Beijing) ne faisait même pas partie du top 30 des aéroports les plus fréquentés, mais durant cette décennie, il s'est mis à grimper dans le palmarès, si bien qu'il se classe deuxième depuis 2010. Les Jeux olympiques de 2008 semblent avoir mis Pékin sur la *map* ! Il ne serait pas surprenant que cet aéroport dépasse celui d'Atlanta dans les prochaines années. L'aéroport international de Pékin-Daxing, lui, est en construction depuis 2014 et devrait devenir opérationnel en 2019 selon mes amis de Wikipédia.

© TonyV3112

Pierre-Elliott-Trudeau (Dorval, Canada)
Code : YUL

L'aéroport de Montréal n'est pas situé à Montréal, mais bien à Dorval, une ville qui est sur la même île et qui a brièvement fait partie de Montréal au début des années 2000. C'est évidemment l'aéroport le plus important du Québec. En hiver, on peut y croiser bien des Québécois bronzés qui reviennent du Sud et qui y seraient restés quelques semaines de plus.

© DD Images

DANS LES JEUX-QUESTIONNAIRES, ON NOUS APPREND QUE...

LA PEAU EST LE PLUS GROS ORGANE DU CORPS.

La grande classe ! Ne manque plus que la main dans les bobettes...

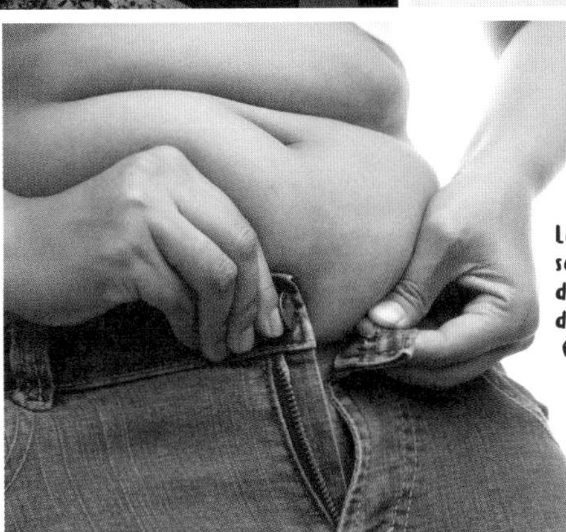

Le nom scientifique de la poignée d'amour est «gros bourrelet».

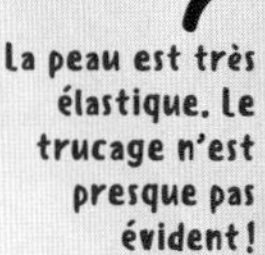

La peau est très élastique. Le trucage n'est presque pas évident !

ET MOI, JE TE DIS QUE...

C'est absolument vrai !

Quand on pense « organe », on pense à un cœur, un estomac, des poumons. Bref, on imagine une masse de la grosseur d'un rôti de bœuf qui accomplit un travail dans notre corps. Eh bien, la peau aussi est, biologiquement parlant, un organe.

La peau est à la fois le plus grand et le plus lourd des organes. Celle d'un adulte pèse environ 3-4 kilos, soit bien plus que le foie, le cœur ou le cerveau. Elle est composée de milliards de cellules et est vivante.

Ta peau n'a pas la même épaisseur partout sur ton corps. Elle est très mince sur les paupières et plus épaisse sur les talons. Sinon, marcher serait très douloureux.

La peau nous offre une barrière de protection contre le monde extérieur. Sans elle, tes muscles et tes vaisseaux sanguins seraient à l'air nu et tu t'enfargerais dans tes intestins !

Elle sert aussi à réguler la température de ton corps. Quand tu as chaud, ta peau évacue son surplus de chaleur sous forme de transpiration. Lorsque tu gèles, tu frissonnes et la chair de poule apparaît. Bon, ce n'est pas le moyen le plus efficace de lutter contre le froid, mais comme on dit, c'est mieux que rien !

Ta peau est aussi responsable du toucher. Grâce à ce sens, tu ressens le froid, le chaud, la douleur et la pression. La prochaine fois que tu te feras gifler, remercie ta peau pour ces minutes de lancinements.

La peau est le seul organe qui puisse s'étirer autant. Même si on peut avoir l'impression que le ventre d'une femme enceinte va déchirer, celui-ci est bien solide. Pas la peine d'essayer de le faire crever à l'aide d'une aiguille. Dis-toi que le ventre d'une femme peut accueillir des sextuplés... et même des octuplés ! Verrais-tu ton cerveau gonfler de la sorte ?

ORGANE-MOI DONC ÇA

D'accord, la peau est le plus gros organe du corps humain. Mais quels sont les autres organes ? L'homme timbré derrière *Couche-toi moins niaiseux* a pensé à toi. Dans cette section, je te présenterai différents organes. Ils ne sont pas tous là, mais tsé, un moment donné, achète-toi un atlas de l'anatomie !

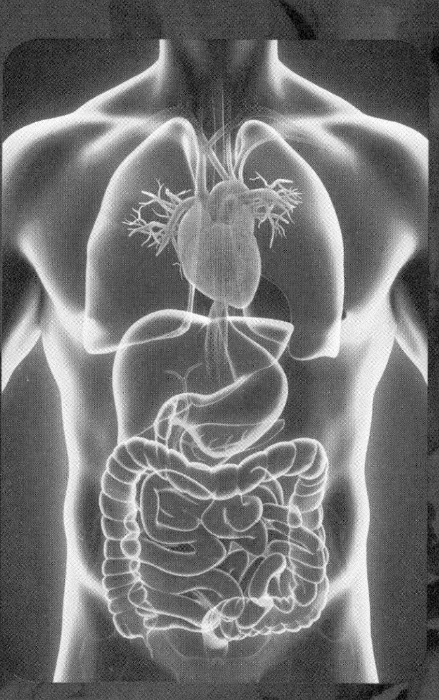

CŒUR

Le cœur est divisé en 4 sections : les ventricules gauche et droit et les oreillettes gauche et droite. Son rôle, tu le connais, c'est de pomper le sang. Autrefois, on croyait que la mort survenait lorsque le cœur arrêtait de battre, ce qui fait que des personnes vivantes ont été déclarées mortes par erreur.

PRENDS TON POULS, MON P'TIT POU !

L'un des bons moyens de voir si ton cœur est en bonne santé est de prendre ton pouls. En temps normal, les battements sont réguliers. Si le tien fait boum............ **boum...** boum **boum** boum.................. **boum...** boum**boum**boum..... boum, dépose ce livre et compose le 911. Pour bien prendre ton pouls, place ton index et ton majeur entre ta pomme d'Adam et l'os de ta mâchoire et trouve tes battements. Ensuite, compte-les sur 20 secondes et multiplie le total par 3. Tu auras alors ton nombre de battements par minute. Si tu dépasses 180, dépose ce livre et compose le 911. Si tu es en bas de 30, dépose ce livre et compose le 911. Si tu es autour de 130-140, c'est que tu viens de faire de l'activité physique, alors dépose ce livre et... va prendre ta douche !

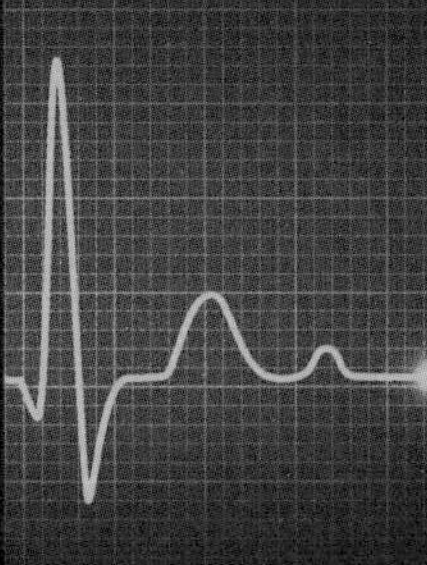

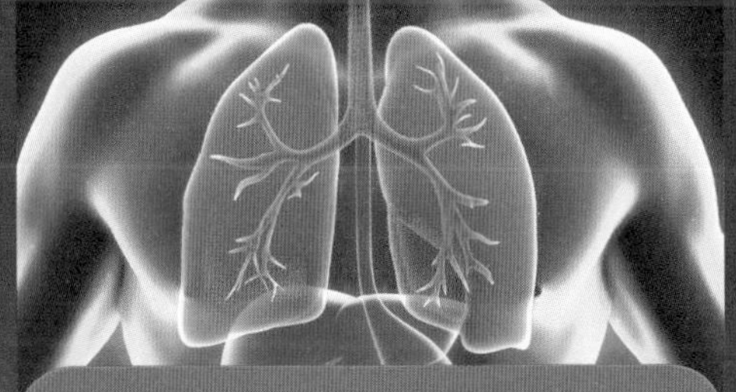

POUMON

Comme nous en avons deux, nous parlons habituellement DES poumons. Heureusement pour eux, ils sont protégés par notre cage thoracique. Fait intéressant: le poumon droit est légèrement plus gros que le gauche. La raison est simple: le cœur est décentré sur la gauche de la poitrine et prend passablement de place. Quand tu regardes quelqu'un de face, son côté gauche est à ta droite. C'est assez mêlant, merci! Encore plus mélangeant? Touche ton oreille droite devant le miroir. L'image que tu vois est celle de toi-même qui se touche l'oreille gauche.

FOIE

Ton foie est tellement occupé que je ne peux pas t'expliquer tous les rôles qu'il joue. Il produit notamment la bile, nécessaire pour la digestion des graisses. Il sert aussi à éliminer l'alcool dans le sang. Lorsque tu vomis le ventre vide, le liquide jaune au goût épouvantablement mauvais qui sort, c'est de la bile. La bile que produit le foie est emmagasinée dans la vésicule biliaire, qui est une sorte d'entrepôt Costco format miniature.

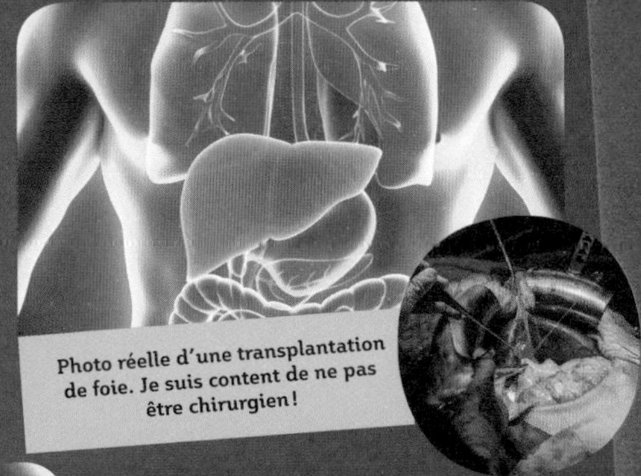

Photo réelle d'une transplantation de foie. Je suis content de ne pas être chirurgien!

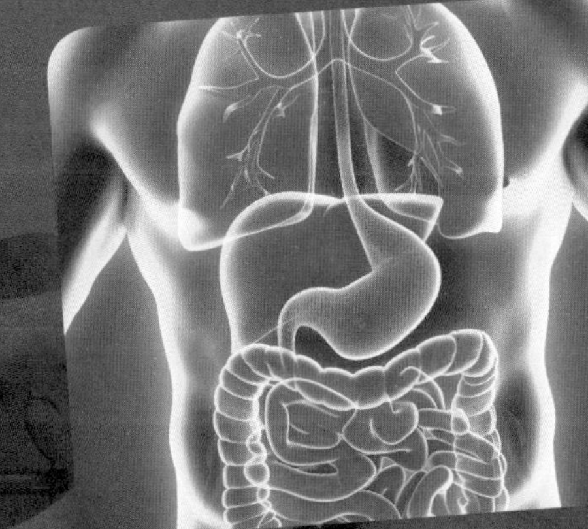

ESTOMAC

L'estomac est situé tout au bout de l'œsophage. C'est là que le gros brassage s'effectue durant la digestion. Ta nourriture mâchée y est réduite en belle bouillie pour chats avant d'être transférée au duodénum. Qu'est-ce que le duodénum? On se calme et on continue à lire...

JE T'EN BOUCHE UN COIN!

La digestion ne commence pas dans l'estomac. Elle débute dès que tu mâches un aliment. La salive contient une enzyme appelée l'amylase qui digère l'amidon (grosso modo, c'est du sucre). Ce qui veut dire que lorsqu'un gars et une fille frenchent, il y a des échanges d'enzyme digestive. C'est moins romantique tout à coup, hein?

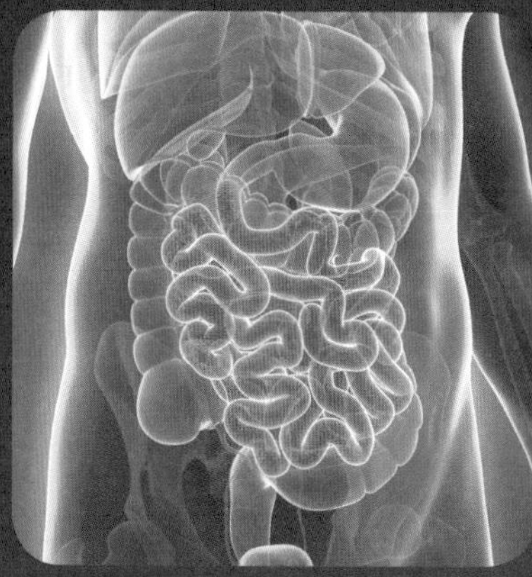

PETIT INTESTIN

Le petit intestin est aussi appelé l'intestin grêle. Le mot « grêle » n'a ici rien à voir avec la neige. C'est un adjectif qui signifie « long et délicat ». L'intestin grêle est divisé en 3 parties : le duodénum, le jéjunum et l'iléon. Tu vois, avec mon histoire de duodénum, je ne t'ai pas fait languir trop longtemps ! C'est dans le petit intestin que se termine la digestion et que se fait l'absorption des éléments nutritifs, dont les vitamines.

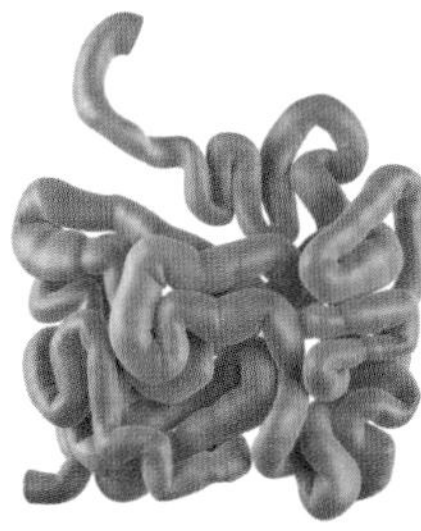

C'EST MALADE !

Comme tu peux le voir sur cette illustration, le petit intestin est tout tordu et ressemble étrangement à du bœuf haché. Une fois étiré, le petit intestin-qui-n'est-pas-si-petit-que-ça mesure à peu près 6 mètres ! Pis si tu tires encore plus fort, ça fait KLOW !!!

GROS INTESTIN

Le côlon est l'autre nom donné au gros intestin. Il est toutefois quatre fois moins long que l'intestin grêle. Son principal rôle est de préparer de beaux p'tits cacas. Il y arrive entre autres en récupérant une grosse partie de l'eau contenue dans la mixture transférée par le petit intestin. Lorsque tu as la diarrhée, ça signifie que cette réabsorption n'a pas eu le temps de se faire.

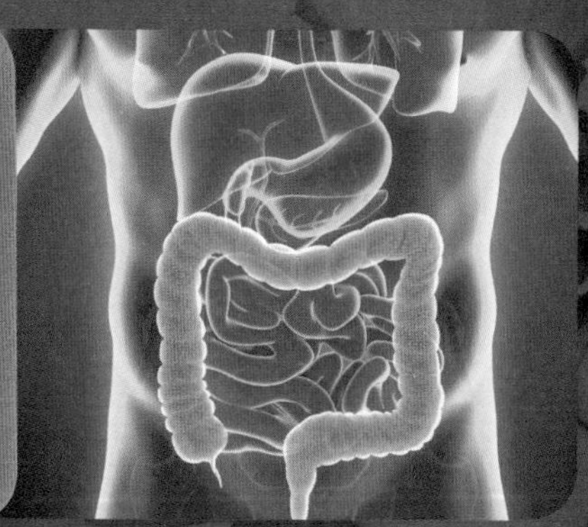

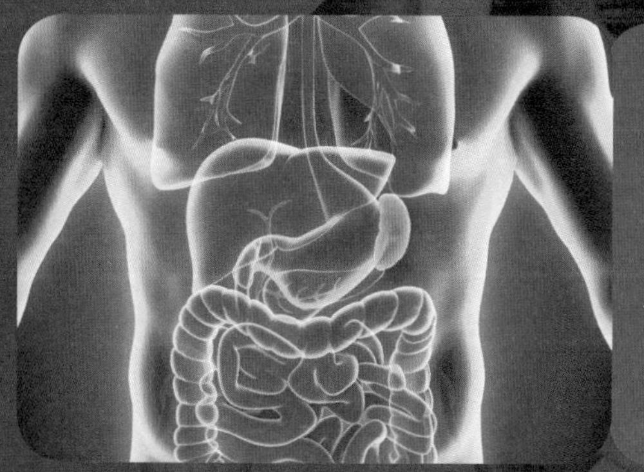

RATE

Le rôle de la rate n'est pas de se dilater lorsqu'on rit. C'est un organe méconnu. La preuve : on a découvert tout récemment, en 2009, que la rate jouait un rôle majeur dans le système immunitaire. En anglais, la rate se dit *spleen*. Le *spleen* est aussi un terme français qui signifie « morosité ».

REIN/VESSIE

Nous avons deux reins, mais il est possible de vivre en bonne santé avec seulement un rein fonctionnel. Les reins filtrent les cochonneries dans le sang et les envoient dans la vessie sous forme d'urine via deux canaux appelés uretères. On les voit super bien sur le dessin que je t'ai préparé à l'ordinateur. La vessie est l'espèce de sac tout en bas dans lequel s'accumule l'urine. Question philosophique : la vessie est-elle à moitié pleine ou à moitié vide ?

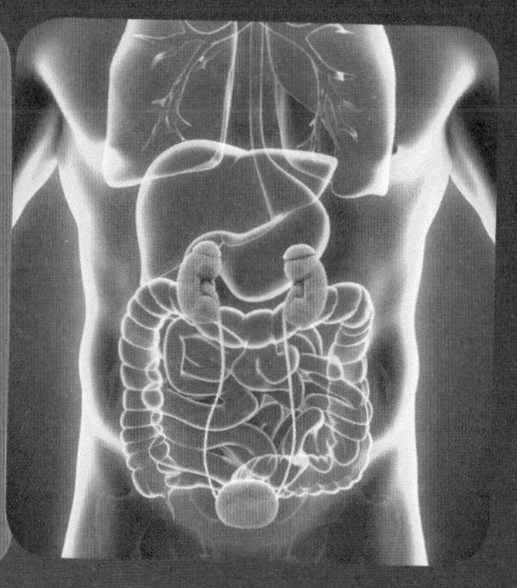

SAVAIS-TU ÇA ?

En anglais, « rein » se dit *kidney*. Tu remarqueras que les haricots rouges ressemblent beaucoup à de minuscules reins. D'ailleurs, ce n'est pas pour rien qu'en anglais, on les appelle *red kidney beans*.

CERVEAU

Ton cerveau est l'ordinateur du corps. C'est lui le grand boss qui régit tout sans que tu en sois conscient. En ce moment même, ta peau se régénère et tu n'en as aucune idée. Cliniquement parlant, la mort survient lorsque le cerveau cesse de fonctionner complètement. Le cerveau d'une personne dans le coma (même profond) continue de fonctionner.

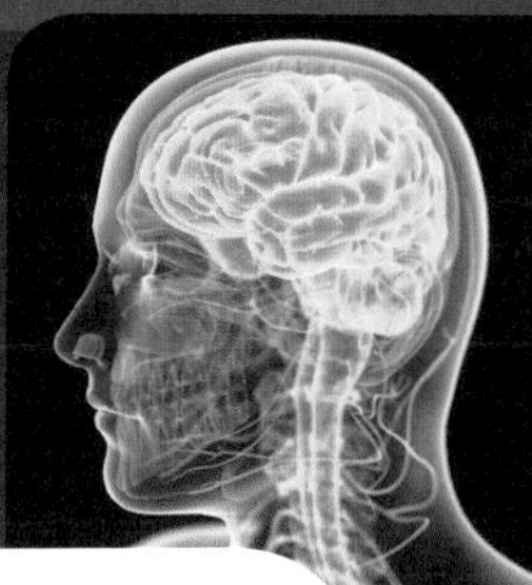

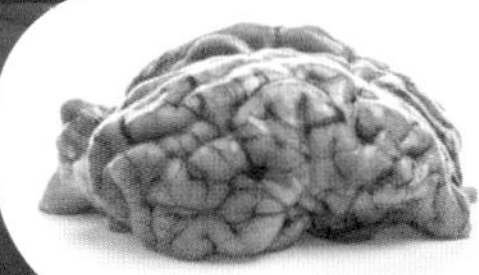

Bien que ce soit très semblable, ceci n'est pas un cerveau humain, mais bien celui d'une chèvre. Elle s'appelait Daisy et était très enjouée !

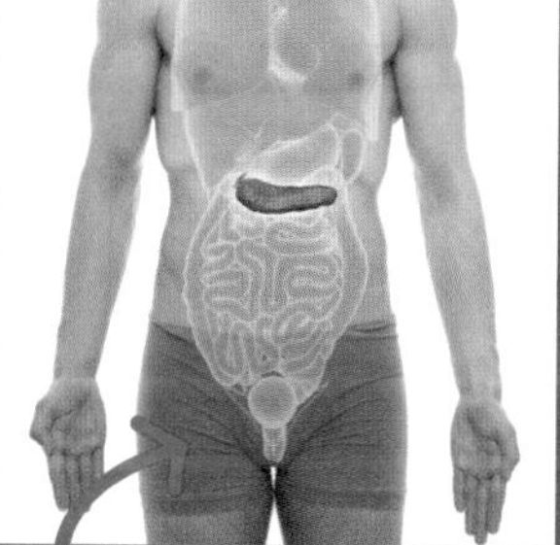

J'avoue que j'aurais pu enfiler des plus beaux sous-vêtements pour la photo...

ATTENTION !

Le pancréas n'est pas un organe, mais bien une glande. Il sécrète des hormones, notamment l'insuline. Une production insuffisante d'insuline cause le diabète.

LE MOT peau DANS LA LANGUE FRANÇAISE

À FLEUR DE PEAU

On dit d'une personne sensible qu'elle est à fleur de peau. Sensible dans le sens d'émue et non de «ayoye ça fait mal!»

Par la peau des fesses

Gagner par la peau des fesses, c'est gagner de justesse. La version plus olé olé va comme suit: «gagner par la peau du cul». La prochaine fois que tu obtiendras 60 % à un examen, n'hésite pas à dire que tu as réussi par la peau des fesses. Tu pourrais aussi plus étudier...

N'avoir que la peau et les os

C'était mon cas à l'adolescence et c'est aussi le cas de Bine, le personnage principal de ma série. Ça signifie être très maigre.

AVOIR QUELQU'UN DANS LA PEAU

Quand on aime un gars ou une fille avec passion, qu'on a des papillons chaque fois qu'on voit cette personne, c'est qu'on l'a dans la peau.

Faire la peau à quelqu'un

Faire la peau à quelqu'un, c'est le tuer. Bête de même! Alors plutôt que faire la peau à des gens, je t'encourage à collectionner les papillons.

Coûter la peau des fesses

Le PlayStation 4 et la Xbox One coûtaient la peau des fesses à leur sortie. De fait, ces consoles étaient bien plus chères qu'elles le sont aujourd'hui.

FAIRE PEAU NEUVE

Lorsque le serpent mue, il fait peau neuve. Pour le commun des mortels, faire peau neuve revient à se moderniser, à se renouveler.

SE PRENDRE PAR LA PEAU DES FESSES

On a droit ici à une expression plus rare. Ma foi, je pense que je ne l'avais jamais entendue. On l'emploie lorsqu'on se force à faire quelque chose.

Ceci n'est pas un condom pour éléphant, mais bien une peau de serpent.

Risquer sa peau

Un pompier qui entre dans une maison en flammes pour sauver un bébé ou un hamster risque sa peau, car ses chances de mourir viennent de grimper en flèche. Si le même pompier sauve le hamster, mais refuse d'y retourner pour le bébé, c'est qu'il tient à sa peau... et qu'il a de drôles de priorités !

Avoir la peau dure

Au Québec, on entend souvent l'expression «avoir la couenne dure». Dans les deux cas, on parle d'une personne qui a une bonne résistance, qui a été endurcie suite à des épreuves difficiles.

Vendre chèrement sa peau

Une personne a vendu chèrement sa peau lorsqu'elle meurt après avoir lutté jusqu'à ses derniers grammes d'énergie.

Il ne faut pas vendre la peau de l'ours avant de l'avoir tué

Ce proverbe très connu t'amène à prendre la vie une chose à la fois. Il ne faut jamais tenir pour acquise une chose incertaine. Si, par exemple, tu invites des amis à un party en te fiant au fait que tes parents diront oui, tu es en train de vendre la peau de l'ours avant de l'avoir tué.

Écorcher les poux pour en avoir la peau

Cette expression rarissime sert à illustrer à quel point une personne peut faire preuve d'avarice.

Un peu de connaissances littéraires !

Peau d'âne est un conte populaire, dont la version la plus connue est celle de Charles Perrault. Avant de mourir, une reine donne au roi la permission de se remarier, à condition que sa nouvelle épouse soit plus belle et plus sage qu'elle. Après de longues recherches, le roi réalise que la seule personne se qualifiant est... sa propre fille ! Il va la voir et lui fait part de son plan de l'épouser. La fille, qui n'en revient pas que son père soit amoureux d'elle, va demander conseil à sa marraine. Celle-ci lui recommande d'exiger de son père une robe de la couleur du temps afin de la rendre heureuse. Comme cette robe est impossible à confectionner, elle pourra lui refuser sa main. Le roi, grâce à sa fortune (il possède un âne spécial dont les cacas sont en fait des écus, les pièces de monnaie de l'époque), fait appel aux meilleurs tailleurs qui y parviennent. Par la suite, la fille réclame une robe plus brillante que la lune, puis plus brillante que le soleil. Chaque fois, les gens engagés par le roi relèvent le défi. En désespoir de cause, la fille demande à son père de lui offrir la peau de l'âne, convaincue que celui-ci refusera (on ne sacrifie pas un âne qui vaut une fortune !). Mais autre surprise : le roi lui accorde ce vœu et fait tuer l'animal. Ne pouvant consentir à marier son père, elle prend la fuite en se cachant sous la peau de l'âne, sorte de déguisement. Sa vie devient ensuite misérable, car tous la trouvent laide sous cette peau immonde. Comme dans tout bon conte, un beau prince fera son apparition à un moment donné. Vont-ils se marier et vivre heureux jusqu'à la fin des temps ? À toi de le découvrir...
P.-S. Cette histoire m'inspire un nouveau proverbe : Il ne faut pas porter la peau de l'âne avant de l'avoir vidé.

Charles Perrault, un auteur français ayant vécu au XVIIe siècle, était un gars assez opportuniste. Il a pris un paquet de contes qui existaient sous forme orale et les a adaptés à sa façon par écrit. Ces contes ont été rédigés dans un français recherché avec le vocabulaire de l'époque. Crois-moi, c'est ardu à lire, tout particulièrement *Peau d'âne*, qui est écrit dans une forme poétique ! Les versions de ces contes que tu as lues quand tu étais jeune sont des adaptations remaniées, allégées et romancées à la sauce Disney, comme tu pourras le constater. Sinon, tous les enfants grandiraient traumatisés !

La belle au bois dormant

Prends deux minutes pour lire le résumé de cette histoire complètement tordue !

Un roi et une reine invitent sept fées marraines (fées énervées avec des baguettes magiques) au baptême de leur princesse. Une vieille fée frustrée de ne pas avoir été invitée les invective sur Instagram, puis lance un sortilège à la princesse : si elle se pique sur un fuseau, elle mourra. Une autre fée marraine modifie le sortilège. Au lieu de mourir, la princesse s'endormira pendant cent ans. Arrive ce qui devait arriver : à quinze ou seize ans, la princesse se pique sur un fuseau et tombe dans un profond sommeil, comme si Messmer avait claqué des doigts. Cent ans plus tard, un beau prince la réveille et ils se marient. C'est à partir d'ici que le récit devient malade !

Vieille couverture datant du début du XXe siècle.

Le prince et la princesse ont deux enfants : Aurore et Jour. Alors que le prince (devenu roi suite au décès de son père) est parti à la guerre, la princesse (maintenant devenue reine, mais je vais continuer de l'appeler la princesse pour ne pas te mêler !) se retrouve seule à son château avec sa belle-mère, dont on dit qu'elle a un côté ogresse. Un jour, la méchante reine demande au maître d'hôtel de lui servir Aurore à manger ! Oui, oui, tu as bien lu ! Heureusement, le maître d'hôtel cache Aurore et sert de la viande à la reine qui n'y voit que du feu. Puis c'est au tour de Jour d'être mis au menu. Le maître d'hôtel réussit à nouveau à berner la reine.

Jamais deux sans trois ! La reine veut qu'on lui serve la princesse pour le souper ! Le maître d'hôtel lui cuit une biche et la reine la déguste avec appétit. Mais un jour, elle se rend compte qu'elle s'est fait rouler dans la farine. Furieuse, elle ordonne à ce que le maître d'hôtel, sa femme, la princesse, Aurore et Jour soient jetés dans une cuve remplie de crapauds, de vipères, de couleuvres et de serpents. Or, le roi revient de guerre au bon moment (c'est arrangé avec le gars des vues) et surprend sa mère à préparer ce geste odieux. Celle-ci se jette alors dans la cuve et est dévorée vivante. Fin.

UN FUSEAU ? DE QUESSÉ ?

Voici la photo d'un rouet. Cette machine ancienne servait à filer la laine. La laine était enroulée sur de petites bobines en bois appelées fuseaux. Je devine qu'il existait aussi des fuseaux en métal. Sur la photo, on peut apercevoir tante Albertine, âgée de 354 ans.

SAVAIS-TU ÇA ?

Dans la version de Disney, Aurore est le nom de la princesse et non celui de la fille de celle-ci. Dans le conte de Perrault, la princesse n'a pas de nom.

Cendrillon

Cendrillon ou la petite pantoufle de verre est le titre exact du conte de Perrault publié en 1697. Il existe tout un débat sur la fameuse pantoufle de verre. Est-ce une pantoufle qui se porte avec un pyjama ? Se peut-il qu'une pantoufle soit en vitre ? Pourquoi irait-on à un bal en pantoufles ? Bref, les réponses ne sont pas claires plus de 300 ans plus tard...

Sais-tu d'où vient le nom de Cendrillon ? En fait, il s'agit d'un surnom. Comme elle s'assoyait près de la cheminée pour se reposer une fois son travail terminé, elle était constamment salie par la cendre. Cendre, Cendrillon. Tu piges ? En anglais, « cendre » se dit *ash* ou *cinder*. Cinderella aurait tout aussi bien pu s'appeler Asherella !

Le petit chaperon rouge

Ce qu'il y a de spécial dans la version de Perrault, c'est que c'est le loup qui gagne à la fin. Il mange le chaperon et ça se termine abruptement comme ça. Il n'y a pas de chasseur qui tue le loup. La version que nous connaissons tous est celle des frères Grimm : un chasseur tue le loup et ouvre son ventre pour en sortir la grand-mère (on sait tous que les loups avalent tout rond !). Par contre, dans la version des frères Grimm, le chaperon apportait une galette et une bouteille de vin à Mère-grand et non un petit pot de beurre. On a donc droit, selon la version, à une alcoolique ou à une amatrice de popcorn.

LES FRÈRES GRIMM

Jacob et Wilhelm Grimm sont en quelque sorte les pendants allemands de Charles Perrault. Eux aussi ont adapté nombre de contes classiques. Comme ils sont nés plus de 150 ans après Charles Perrault, ils ont modifié quelques-unes de ses œuvres, dont *Le petit chaperon rouge*, *Cendrillon* et *La belle au bois dormant*. Tu dois savoir qu'autrefois, les droits d'auteur n'existaient pas. Leurs autres contes connus sont : *Blanche-Neige*, *Hansel et Gretel*, *Raiponce* et *Tom Pouce*.

TIRE LA CHEVILLETTE, LA BOBINETTE CHERRA ????

Cette phrase bien connue est prononcée par le loup déguisé en grand-mère lorsque le chaperon cogne à sa porte. Qu'est-ce qu'une chevillette, une bobinette et une cherra, me demandes-tu ? Voici, voici. La bobinette est une pièce de bois mobile qui est maintenue contre le battant d'une porte à l'aide d'une cheville (un genre de crochet). « Cherra » est le verbe « choir » (synonyme de tomber) conjugué au futur simple. Donc, ce que Mère-grand voulait dire est : « Tire la clenche, cibole ! »

SAVAIS-TU ÇA ?

En anglais, *Le petit chaperon rouge* s'intitule *Little Red Riding Hood*.

Le Petit Poucet

Un bûcheron et sa femme, n'ayant plus un sou, décident d'abandonner leurs sept enfants dans la forêt. Petit Poucet (nommé ainsi à cause de sa petite taille) prévoit le coup et bourre ses poches de cailloux. En chemin vers la forêt, il laisse tomber les garnottes. Lui et ses frères regagnent donc facilement leur maison. La deuxième fois que les parents les abandonnent, Petit Poucet laisse tomber des miettes de pain. Malheur ! Des oiseaux les mangent. Perdus, les frères trouvent refuge dans la maison d'un ogre qui aime bien manger les garçons. Quel hasard, cet ogre a sept filles ! Petit Poucet et ses frères échangent leur bonnet contre les couronnes des fillettes endormies, si bien que l'ogre en vient à tuer ses filles au lieu des garçons. Les garçons s'enfuient. Lorsque l'ogre découvre le carnage, il enfile ses bottes de sept lieues et part à leur recherche. Fatigué, l'ogre s'endort. Petit Poucet en profite pour lui voler ses bottes magiques. Il retourne à la hutte de l'ogre et fait croire à la femme de ce dernier que celui-ci a été capturé par des voleurs et est en grand danger. La seule façon de le délivrer est de donner tout son or et son argent. La femme n'hésite pas et donne toutes ses richesses au Petit Poucet. Ce dernier retourne plutôt à sa maison, où il est accueilli avec joie.

DES « LIEUES » ?????

Les bottes de sept lieues n'existent pas que dans *Le Petit Poucet*. Ces bottes magiques, vues dans d'autres contes de fées, s'adaptent aux pieds de celui qui les enfile. Une enjambée avec ces bottes permet de franchir une distance de sept lieues. Une lieue est une ancienne unité de mesure équivalente à 4-5 kilomètres. Ces bottes permettent donc de franchir environ 30 km en un seul pas. Dommage que ça n'existe pas ; la distance Montréal-Québec se ferait en moins de 10 pas. Ce serait plus rapide et plus écolo qu'en avion supersonique !

La Barbe bleue

La Barbe bleue est un homme laid et répugnant en raison de sa barbe bleue. Il a tout de même eu plusieurs femmes, mais personne ne sait ce qu'elles sont devenues. Attirée par ses richesses, une de ses voisines accepte de l'épouser. À la suite du mariage, la Barbe bleue doit partir en voyage. Il confie les clés du château à sa bien-aimée, mais lui interdit d'entrer dans l'une des pièces. Sa curiosité étant trop forte, l'épouse entre dans la pièce en question et y découvre les cadavres de toutes les anciennes épouses de la Barbe bleue. Elle a si peur qu'elle échappe la clé, qui se tache de sang. Comme le M. Net n'existe pas encore, elle est incapable de faire partir la tache. À son retour, la Barbe bleue découvre qu'elle lui a désobéi. Après mûre réflexion, c'est-à-dire trois secondes plus tard, il décide de la tuer. Heureusement, la femme est sauvée *in extremis* par ses frères, qui tuent la Barbe bleue de leur épée.

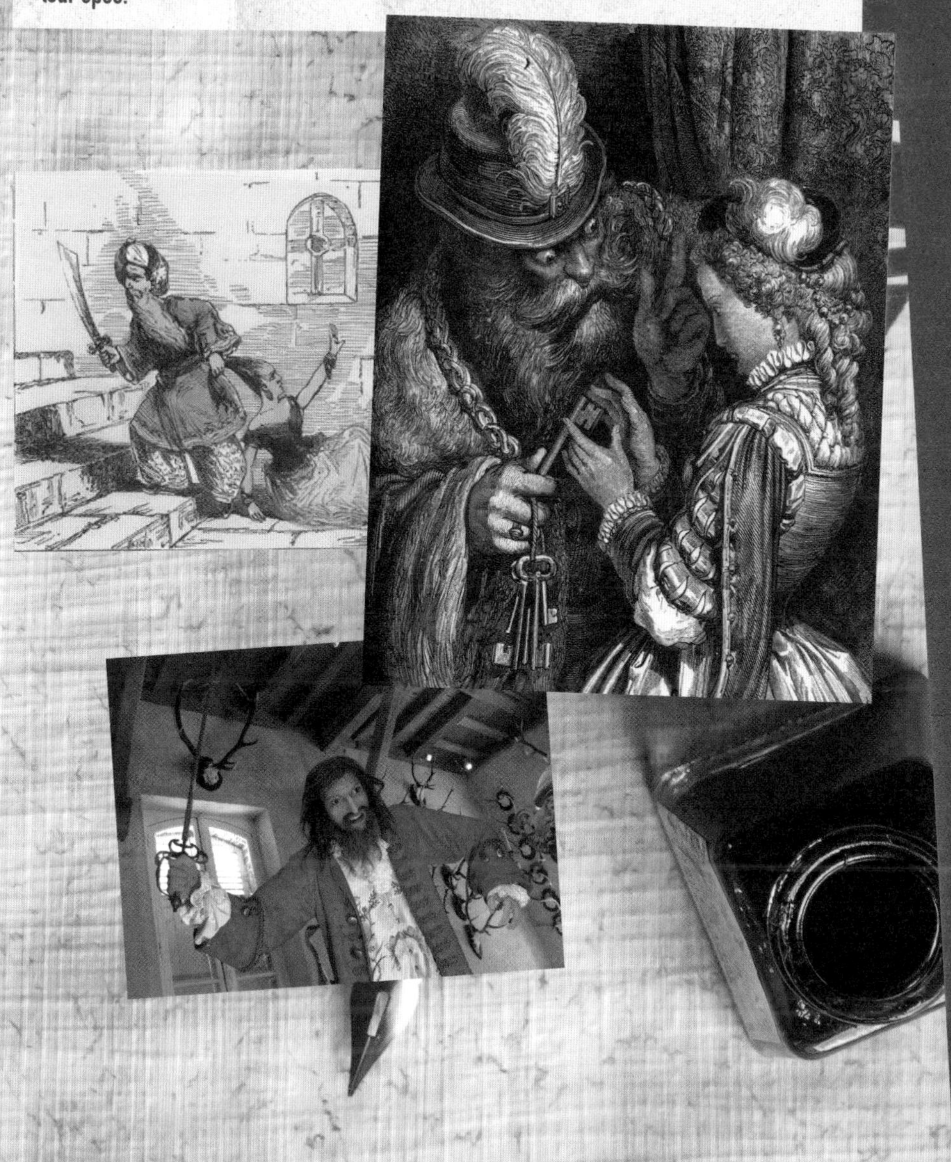

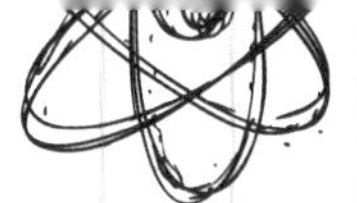

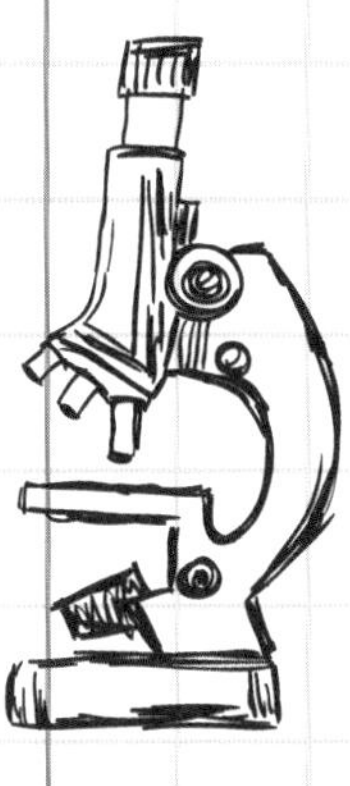

WOW, C'EST COMME UN COURS DE BIO !

Tu peux tout de suite prendre de l'avance pour ton examen de biologie de secondaire 3. Voici à quoi ressemble ta peau :

ÉPIDERME

1re couche de la peau; celle que tu maganes en te grattant.

DERME

2e couche de la peau.

HYPODERME

Certains la considèrent comme la 3e couche de la peau, d'autres non. Peu importe, l'hypoderme est aussi appelé le tissu sous-cutané. Les boules jaunes sont des cellules graisseuses et non des Corn Pops collées.

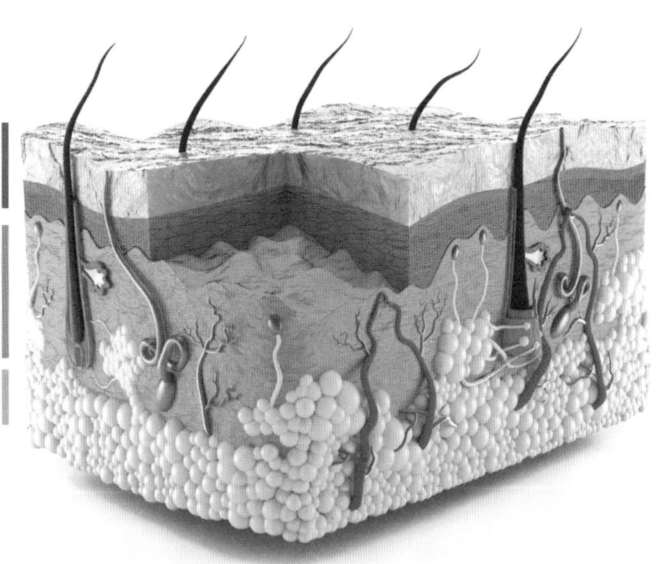

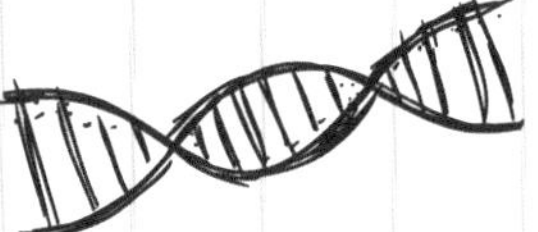

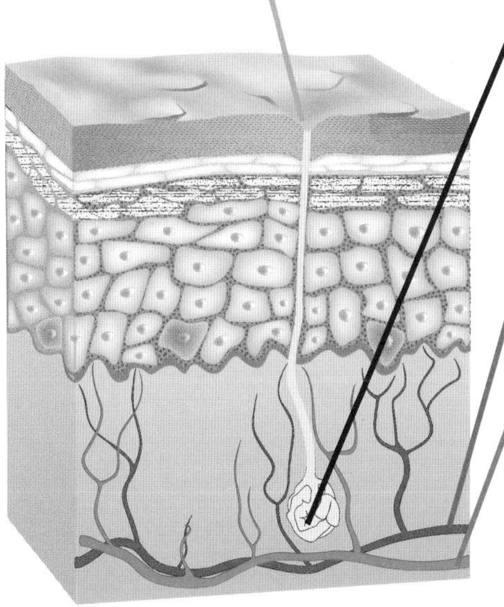

PORE

C'est par là que dégouline ta sueur.

GLANDE SUDORIPARE

C'est elle qui produit la sueur. Quand je dis « elle », sache que tu en as pas mal plus qu'une !

ARTÈRE

Elle est toujours rouge sur un schéma.

VEINE

Elle est symbolisée par la couleur bleue, mais le sang qui y circule n'est pas bleu ; on n'est pas dans *Avatar* ! Sur les schémas, on utilise les couleurs bleu et rouge simplement pour différencier les artères des veines. Pourquoi nos veines nous apparaissent-elles bleues à l'œil nu ? Il s'agit d'un phénomène d'optique : la peau ne laisse traverser que la lumière bleue. Les artères, elles, sont situées plus en profondeur, ce qui fait qu'on ne les voit pas.

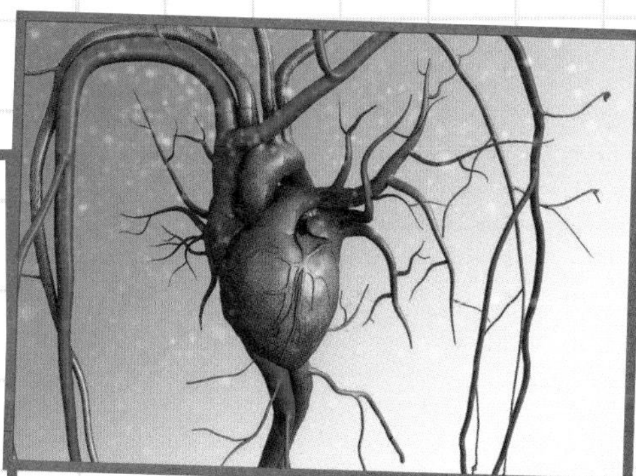

VEINE VS ARTÈRE

Lorsque le cœur pompe le sang, celui-ci voyage partout dans ton corps à l'intérieur des artères. Une fois que les organes ont « utilisé » le sang, il est ramené au cœur par des veines. Et là, le cycle recommence. En résumé, le sang voyage par allers-retours.
Allers = artères. Retours = veines.

L'HOMOPHONE DU JOUR

Le mot « pore » a deux homophones : « porc » et « port ». Et ces trois mots ressemblent beaucoup à « part ». On appelle ça des **paronymes**. D'autres exemples de paronymes : collusion et collision, éruption et irruption, apporter et emporter, flacon et flocon. Si tu as pensé à « patate » et « pomme de terre », tu n'as rien compris !

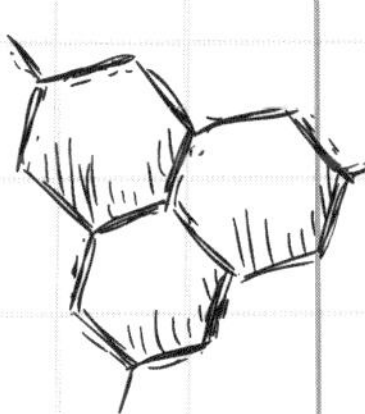

Encore un bouton!

Ah, l'acné! Lorsque tu vas commencer à en faire, tout ton entourage essaiera de te remonter le moral en te disant que ce n'est pas si pire, que ça ne paraît pas tant ça. On va se dire les vraies affaires: il se pourrait que tu te sentes complexé et c'est tout à fait normal. Ce n'est pas comme si tu pouvais te cacher le visage!

Témoignage touchant

Pour te consoler, sache que l'acné affecte presque tous les ados, à différents degrés. Du secondaire jusqu'à la fin de l'université, j'avais en moyenne 5 boutons à la fois près du menton. Quand un disparaissait, un nouveau apparaissait. Frustrant! Des guedilles aux bouts blancs, ce n'est pas l'arme de séduction par excellence. Au top de mon acné, c'étaient 30 à 40 boutons qui bourgeonnaient en même temps et ça me rendait fou. J'avais l'impression que le monde entier ne voyait que ça. Comme il valait mieux en rire, je disais à la blague qu'on aurait dû m'engager auprès de la compagnie de mayonnaise Hellmann's.

Pourquoi moi et pas mon ami?

Plusieurs facteurs peuvent influencer l'acné: les gènes (l'hérédité), les hormones, le système immunitaire, le sexe (l'acné est habituellement plus grave chez les gars), le stress (ce n'est pas unanime) et les produits cosmétiques utilisés (donc on se calme le pompon avec le maquillage).

Pourquoi fait-on de l'acné?

L'adolescence est une période de grands changements hormonaux et, malheureusement, ces changements ne se font pas dans la plus grande discrétion. Durant cette période, ton corps sécrète en grande quantité une substance grasse appelée sébum. La surabondance de sébum bouche les pores de peau. Résultat: des bactéries s'invitent à la fête et forment des boutons.

Est-ce que je mange trop de Doritos?

Contrairement aux idées reçues, l'acné n'est pas directement reliée à l'alimentation. Les périodes où j'avais une face de pizza ne signifiaient pas que je m'étais gavé de pepperoni. D'ailleurs, il existe beaucoup de bisbille à ce sujet. Certains spécialistes jurent que l'alimentation n'a rien à voir avec l'acné. D'autres prétendent qu'il existe un lien, sans que ce soit l'unique facteur. Qui croire? Logiquement, dis-toi que si se gaver de chips, de bonbons et de boisson gazeuse est mauvais pour la santé, ça ne doit pas être bénéfique pour la peau...

Je veux me débarrasser de mes boutons!

Alors pète-les! Non, c'est une farce, il ne faut surtout pas y toucher! Bien que ce soit tentant, les crever est probablement la pire solution. Premièrement, ça fait extrêmement mal. Deuxièmement, ça laisse des marques, et troisièmement, si le bouton est mal vidé, il risque de revenir te hanter! À noter que la sableuse électrique est tout aussi déconseillée.

Il existe un paquet de savons et de crèmes pour venir siphonner le portefeuille de tes parents. Ils sont efficaces, mais ils ne font pas des miracles non plus. Le principal ingrédient de ces produits est le peroxyde de benzoyle. Sache qu'il irrite et assèche la peau. Rien n'est parfait!

Pour les cas graves, il existe des médicaments que tu peux te faire prescrire par ton médecin, notamment Acutane. J'ai vu des gars passer de visages couverts d'acné à belle peau en quelques semaines seulement grâce à ce produit. Mais c'est un médicament très puissant qui n'est pas recommandé pour tous.

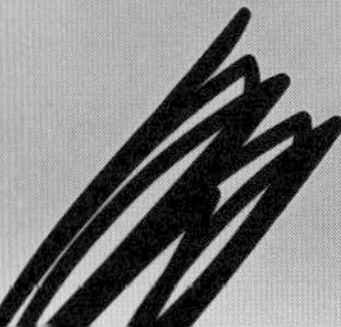

J'AI PAYÉ POUR CE LIVRE, ALORS QUELLE EST LA CONCLUSION ?

Dors bien, mange bien, bois beaucoup d'eau, respire par le nez, lâche le maquillage, lave-toi le visage matin et soir et... dis-toi que ça ne durera pas toute ta vie !

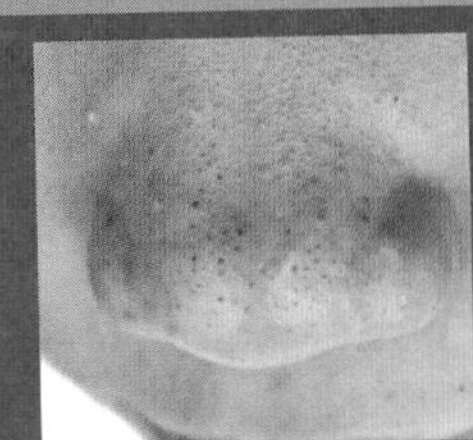

Le mot de vocabulaire pour te penser smatte !

Tu as sûrement déjà eu un point noir sur le nez. Sache que son vrai nom est **comédon**. On dirait le nom d'un corps céleste, mais ça désigne bel et bien l'amas de *scrap* qui bouche tes pores de peau !

Féminin ?

Le mot « acné » est féminin. On dit UNE acné. Je sais qu'il est très tentant d'écrire ce mot avec un « e » à la fin, je fais souvent cette faute. « Acnée » avec un « e », me semble que ça fait plus beau !

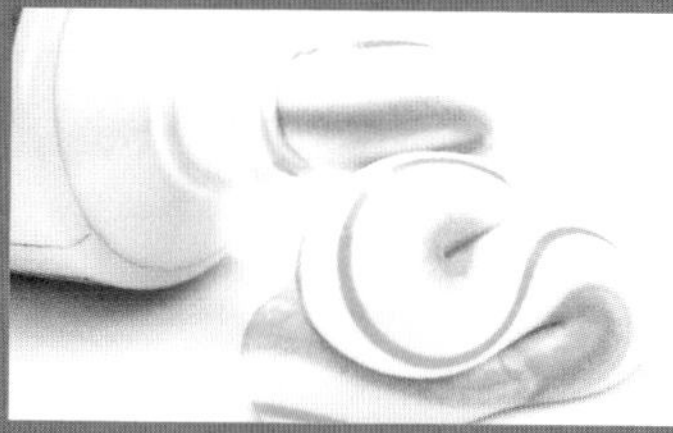

De la pâte à dents ???!!!!!

Sais-tu quel truc j'utilisais pour me débarrasser de mes boutons ? Bon, OK, tu as deviné à cause du titre... Ouais, le soir, avant de me coucher, je mettais une goutte de dentifrice à la menthe sur mes boutons. J'avais lu dans un article que c'est ce que faisaient certains mannequins. Comme on m'arrêtait dans la rue pour me dire : « Eille, t'es tellement beau, tu devrais devenir mannequin », j'avais décidé d'essayer le truc. Résultat : le matin, mes boutons étaient à moitié séchés. Oui, ça marche, ça ne coûte pas cher et ta peau a bonne haleine ! Évidemment, si tu ne veux pas te réveiller la face rouge, n'étends pas la pâte à dents sur toute la surface de ton visage, car elle est très irritante !

Hein ?! Du Pepto-Bismol ????

Certaines femmes se font des masques de beauté avec du Pepto-Bismol. Tu sais, le liquide rose que des personnes prennent lorsqu'ils ont l'estomac à l'envers après avoir ingurgité une grosse poutine et quatre pogos ? Oui, celui-là ! Il y en a qui jurent que ça fonctionne aussi contre l'acné. Mais là, ne te plains pas si ta face reste tachée rose et que tu sens le ti-sucré !

5 comportements
À ÉVITER QUAND ON FAIT DE L'ACNÉ

1 SE PROMENER AVEC UNE LOUPE DEVANT LA FACE.

2 SE LAVER AU SPECTRO JEL D'UN CÔTÉ SEULEMENT.

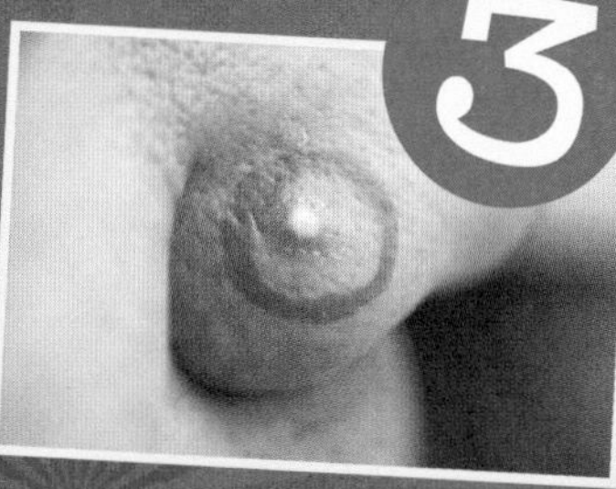

3 Encercler ses boutons avec un Sharpie rouge.

4 Assumer son côté épeurant en imitant le rire de Freddy.

5 DISCUTER AVEC LES GENS LES YEUX *CROSS-SIDE* POUR DÉVIER L'ATTENTION.

À chacun son problème de peau

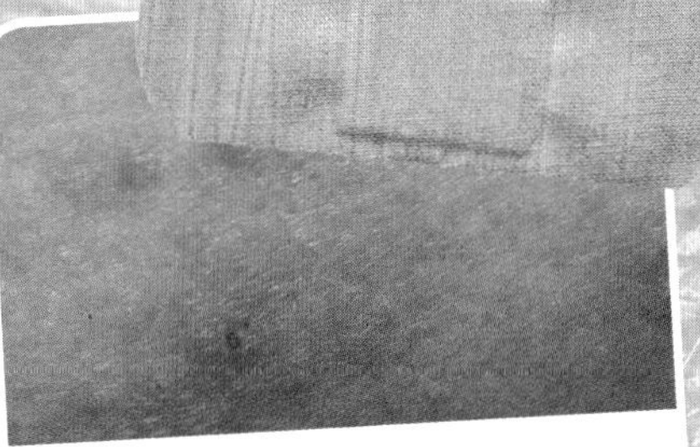

Eczéma

L'eczéma se manifeste différemment chez les individus. Certains ont des poussées lors d'épisodes de stress, d'autres lorsqu'ils mangent certains aliments. Beaucoup en ont uniquement sur les mains, d'autres à différents endroits sur le corps. Je peux en témoigner, de l'eczéma, ça pique ! On utilise généralement des crèmes à la cortisone pour régler le problème.

Psoriasis

Le psoriasis apparaît habituellement sous forme de plaques sur les coudes et les genoux. On peut même en avoir sur le cuir chevelu. Ne t'inquiète pas, ce n'est pas contagieux. Les causes du psoriasis ne sont pas encore claires.

Impétigo

L'impétigo est une infection bactérienne contagieuse. Elle cause des espèces de croûtes jaunâtres pas très ragoûtantes. On traite habituellement l'impétigo à l'aide d'antibiotiques.

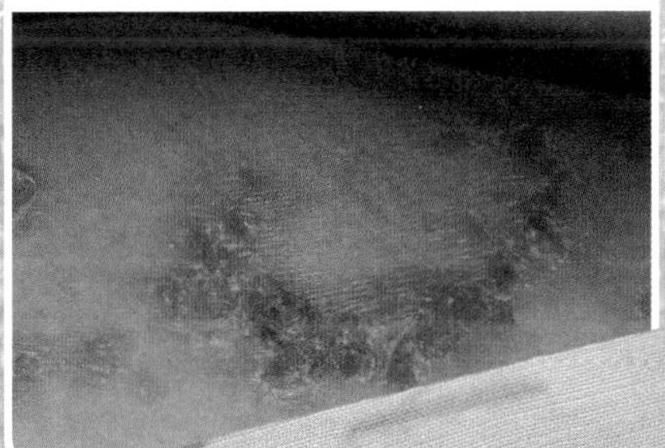

Vitiligo

Même si les deux noms se ressemblent, le vitiligo n'a rien à voir avec l'impétigo. Le vitiligo est la disparition de la pigmentation de la peau qui se manifeste par de petites plaques blanches entourées d'une bordure fortement pigmentée.

Dermatite

Le nom « dermatite » désigne l'ensemble des inflammations de la peau. L'eczéma est une dermatite. Lorsque tu te roules dans l'herbe à puce et que tu te réveilles le lendemain avec les jambes qui piquent à te rendre fou, tu as une dermatite de contact. La dermatite du baigneur (ou du nageur), elle, peut survenir après une saucette dans un lac. Elle est due à la présence de minuscules larves appelées « cercaires » qui piquent la peau et y pénètrent. Ne t'inquiète pas, ces larves ne vivent pas en toi, elles meurent rapidement.

Savais-tu ça ?

L'herbe à puce est le surnom d'une plante appelée le sumac vénéneux (ou sumac grimpant). L'herbe à puce a un nom anglais plus poétique : *poison ivy*. Le problème avec le sumac vénéneux, c'est qu'il ressemble à bien des plantes ! Certaines personnes sont plus sensibles que d'autres à l'herbe à puce.

Érythème fessier

Tous les bébés qui portent des couches font un jour ou l'autre de l'érythème fessier. Ces rougeurs sur la peau des fesses ne sont pas dangereuses, mais elles chauffent la peau de nos p'tits amours. La crème d'oxyde de zinc, probablement la crème la plus épaisse au monde, règle vite le problème.

Vergeture

Les vergetures sont des lignes qui peuvent se former notamment à la suite d'une grossesse, d'une prise de poids rapide ou d'une forte poussée de croissance. Elles peuvent devenir moins apparentes avec le temps, mais elles ne disparaissent jamais.

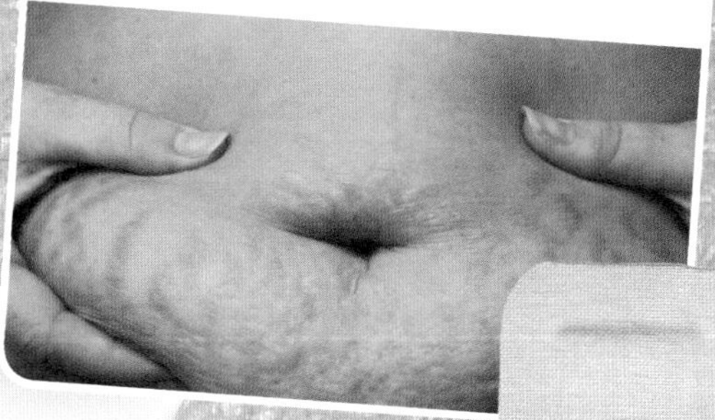

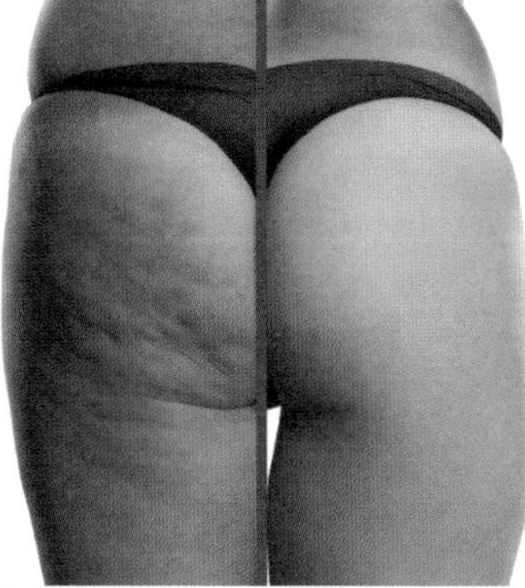

Cellulite

La cellulite (nom scientifique à glisser dans tes conversations : lipodystrophie superficielle) est un gonflement du tissu sous la peau qui lui donne un aspect bosseux, un peu comme une peau d'orange, d'où son surnom. La cellulite apparaît principalement sur les cuisses, les fesses, les hanches et le ventre. Attention, ça n'a rien à voir avec le surpoids. Une fille maigre peut très bien avoir de la cellulite. Un gars aussi, d'ailleurs, mais c'est plus rare.

Feu sauvage

Le vrai nom du feu sauvage est l'**herpès buccal** (ou labial). C'est contagieux lorsque la personne est en période de crise, alors tu ne dois jamais embrasser une personne qui a un feu sauvage, ni boire avec la même paille qu'elle et encore moins lui nettoyer la tache de beurre de pinottes sur le coin de la bouche avec ton pouce.

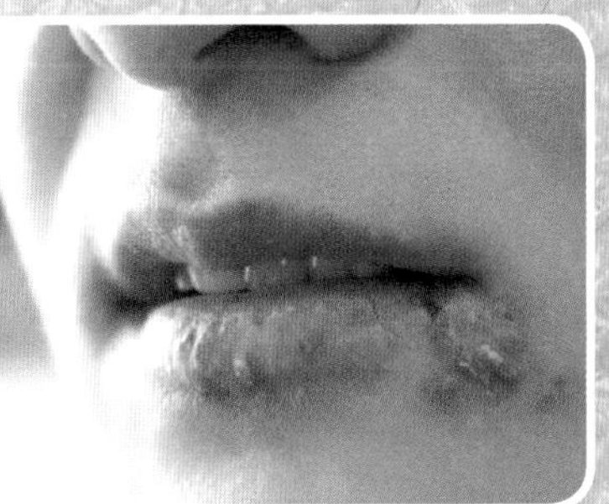

Couperose

La couperose, aussi appelée **rosacée**, est la coloration du visage provoquée par la dilatation des vaisseaux sanguins.

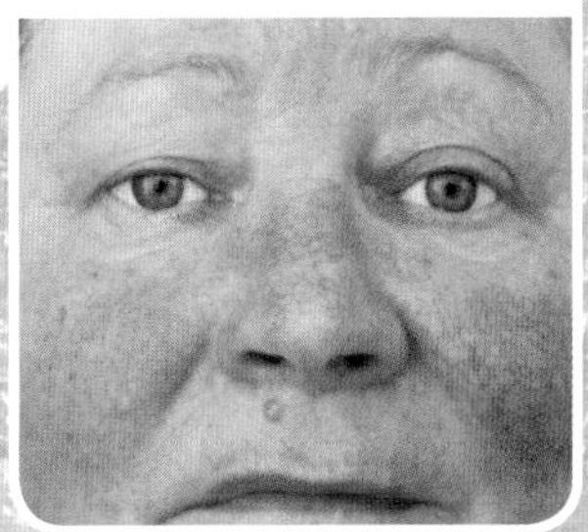

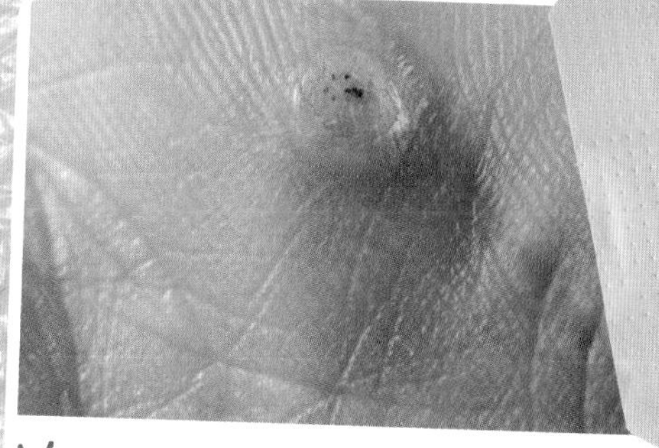

Verrue

Les verrues sont fréquentes chez les jeunes. Rassure-toi, ce n'est pas en touchant à un crapaud que l'on peut en attraper. Les verrues sont contagieuses et elles se répandent facilement. La verrue dite vulgaire (elle sacre et dit des grossièretés) apparaît généralement sur les mains et contient de petites taches noires, comme sur la photo. La verrue plantaire, elle, s'installe confortablement sur la plante des pieds. Voilà pourquoi tant de gens se promènent en sandales dans les vestiaires !

Ça, c'est frette !

Les traitements à l'azote liquide sont efficaces contre les verrues. Le médecin brûle la verrue par le froid, c'est-à-dire en appliquant de l'azote liquide d'une température approximative de -195 degrés Celsius. Cette technique s'appelle la cryothérapie. Il existe aussi d'autres traitements pour se débarrasser des verrues, dont l'un avec... du *duct tape* !

Pellicules

Bien que les pellicules soient associées aux cheveux, c'est avant tout un problème de peau. Semblables à des grains de sel, les pellicules ne sont ni des saletés ni des œufs de poux, mais bien des cellules de peau. Ce surplus de cellules mortes est dû à la présence d'un champignon, le pityriasis. Un problème de pellicules ne signifie pas une mauvaise hygiène pour autant. Elles apparaissent lorsque le cuir chevelu est trop sec ou trop gras et causent des démangeaisons.

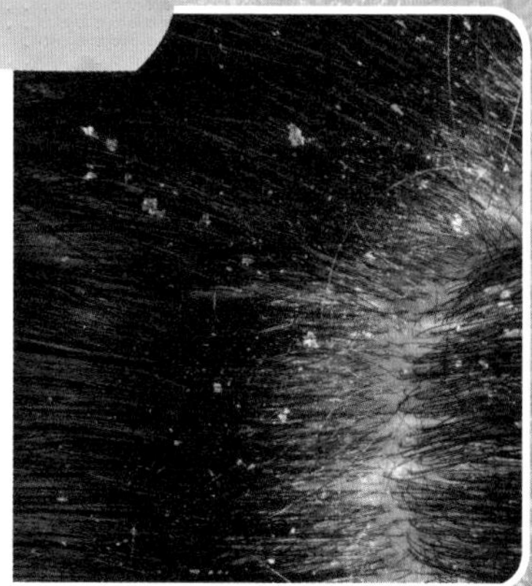

Varicelle

La varicelle, que l'on appelle «picotte» au Québec, est une maladie contagieuse qui s'attrape comme un virus. Il est fort probable que tu l'aies eue lorsque tu allais à la garderie.

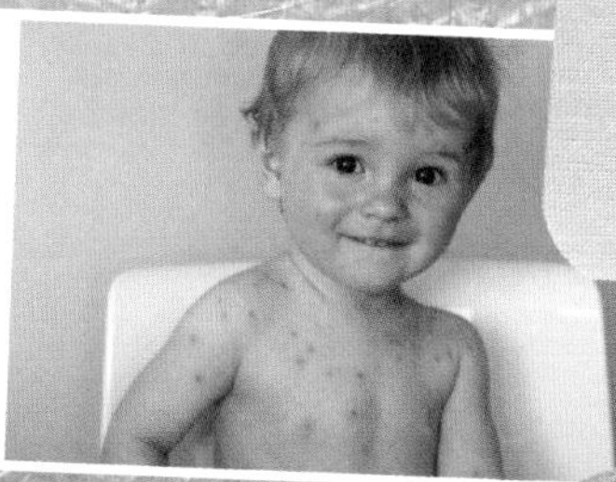

Lupus

Le lupus est une maladie auto-immune. Ce beau terme signifie que le système immunitaire de la personne fabrique des anticorps qui s'attaquent aux cellules en bonne santé. En d'autres mots, le système immunitaire attaque le corps au lieu de le protéger. Le lupus se manifeste différemment d'une personne à l'autre, mais bien souvent, la peau est affectée. Le chanteur britannique Seal en souffre. D'ailleurs, son masque de loup est typique de cette maladie. La star de la pop Selena Gomez en souffre aussi. Lors de notre dernière partie de tennis amicale, elle m'a mentionné que le lupus était la pire chose qui lui soit arrivée, après sa relation avec le très désagréable Justin Bieber.

© Tinseltown

Lui, c'est Seal et non Justin Bieber.

© Andre Luiz Moreira

Albinisme et alpinisme...

deux mots qui n'ont aucun lien !!!

L'albinisme est une anomalie héréditaire, c'est-à-dire que l'on naît comme ça (ça ne s'attrape pas). Chez une personne albinos, l'absence de pigmentation affecte la peau, les poils et les yeux. Contrairement à ce que l'on peut voir dans certains films ou BD, ces personnes n'ont pas l'iris rouge vif. C'est un mythe. Habituellement, leurs yeux sont bleu pâle. Comme il y a peu de pigmentation, les vaisseaux sanguins sont plus visibles, ce qui peut donner un aspect rougeâtre.

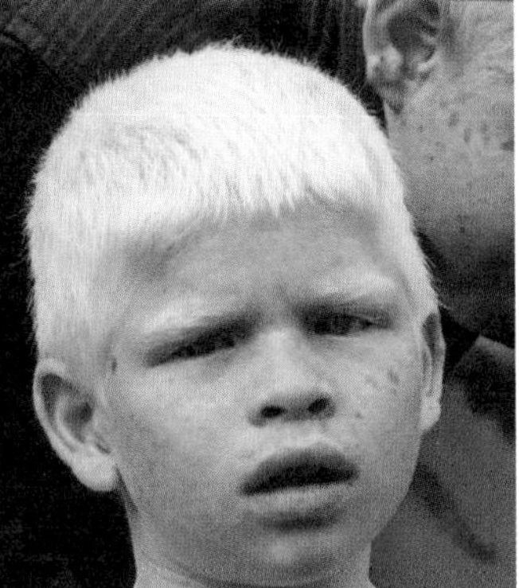

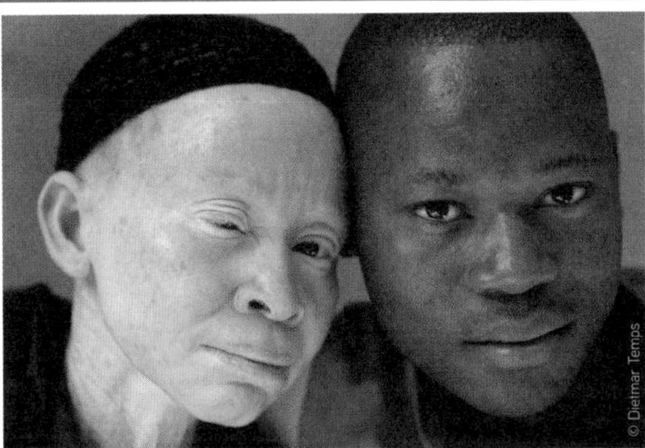

© Dietmar Temps

Un crocodile blanc ?!!!

L'albinisme n'est pas propre aux humains. Il existe aussi des animaux albinos. Déjà que croiser un crocodile doit être assez terrifiant, imagine s'il est albinos !

© David Bokuchava

AS-TU une tache de naissance SUR LA FESSE DROITE ?

Tu as sûrement déjà cherché une tache de naissance sur ton corps. Selon le mythe, nous en aurions tous une. Ce n'est pas tout à fait le cas. Certaines personnes n'en ont pas du tout. Il existe plusieurs types de taches de naissance, dont la fraise (tache rouge-violet légèrement bombée qui disparaît avec les années), la tache café au lait (tache brunâtre non bombée, souvent de forme ovale) et la tache de vin (grande plaque rouge qui apparaît parfois sur le visage). Certaines taches de naissance sont totalement anodines, tandis que d'autres doivent être surveillées de près, notamment les gros grains de beauté poilus à deux yeux!

Mikhaïl Gorbatchev, un homme politique soviétique, est probablement la personne possédant une tache de vin la plus connue.

Une petite fille ayant une « fraise » sur le front. Le vrai terme est hémangiome.

En gros plan, une tache café au lait typique.

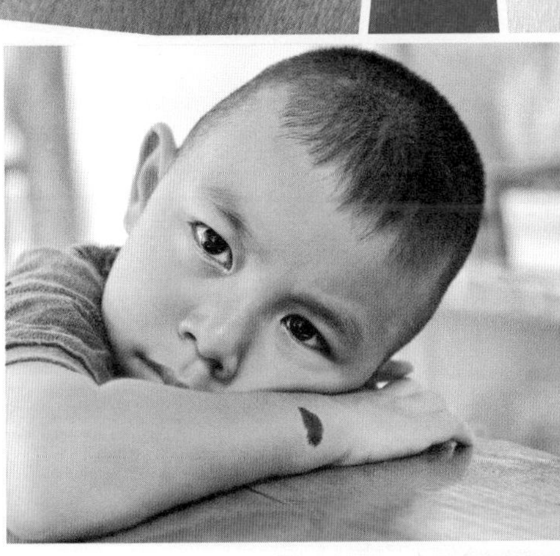

L'ENCYCLOPÉDIE ENVELOPPANTE DE LA peau

L'adjectif « **cutané** » signifie « relatif à la peau ». Une lésion cutanée est une lésion de la peau. Une allergie cutanée est une allergie de la peau. Une greffe cutanée est une greffe de la peau. Veux-tu d'autres exemples ou ça va ?

Une **démangeaison** est une sensation irritante de la peau qui nous donne l'envie folle de nous gratter.

Le **prurit** est un problème de démangeaisons intenses et il est souvent accompagné de rougeurs. Un problème de fesses qui piquent s'appelle du **prurit anal**.

Nævus mélanocytaire est le nom scientifique du grain de beauté. Ça se glisse tellement aisément dans une conversation, fais-en l'essai. C'est le cas de le dire : ça ajoute un grain de beauté à tes phrases !

La **mélanine** est le pigment brun de la peau. Un grain de beauté est une concentration forte de mélanine. Beyoncé, que l'on voit ici poser pour la toute nouvelle collection de L'Aubainerie, a donc pas mal plus de mélanine que Véronique Cloutier !

Un **mélanome** est en quelque sorte un méga grain de beauté susceptible d'être cancéreux. Il y a deux types de mélanomes : le bénin (pas grave) ou malin (pouvant causer la mort).

Le **dermatologue** est le spécialiste de la peau. Il est le mieux placé pour déterminer si tu fais de l'eczéma ou si tu t'es simplement mal lavé.

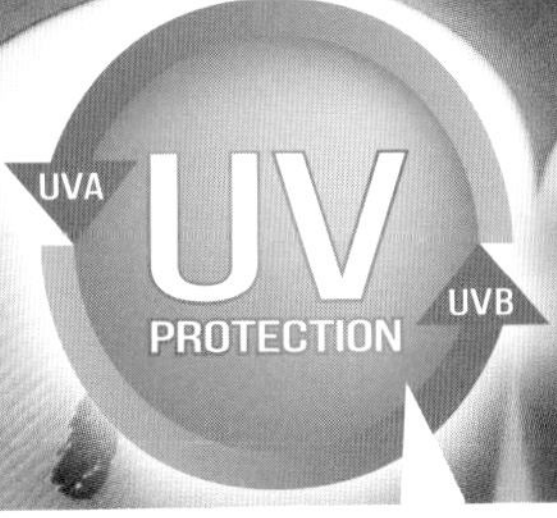

UVA

UV

PROTECTION

UVB

Il existe trois types de **rayons UV** (ultraviolets): les rayons **UVA**, **UVB** et **UVC**. Ce qui les différencie est leur longueur d'onde. Cette histoire de longueur d'onde est compliquée à comprendre, alors retiens ceci : la crème solaire que tu utilises doit te protéger des rayons UVA et UVB. Pour ce qui est des UVC, la quantité qui atteint la Terre est minime et ta peau t'en protège.

Après un coup de soleil, ta peau se défait en espèces de lamelles, un peu comme une gomme à effacer qu'on frotte sur un papier. Dans le langage courant, on dit qu'on pleume (pleumer est un vrai verbe, donc continue de l'utiliser), mais le verbe plus recherché est **desquamer**.

Lorsque tu te brûles ou que tu attrapes un sale coup de soleil, la boursouflure qui se forme est une **cloque**.

La **corne** est un épaississement de l'épiderme dû à un frottement répété. Une **callosité,** c'est la même chose.

Si tu te frottes avec un gant de crin, tu fais ce qu'on appelle de l'**exfoliation**, c'est-à-dire que tu débarrasses ta peau de ses cellules mortes.

Les craquelures sur tes lèvres sont des **gerçures**. Les lèvres gercées sont plus fréquentes l'hiver quand les calorifères chauffent en malade et que l'air devient sec.

Une **muqueuse** est une membrane qui recouvre les cavités de ton corps. Par exemple, l'intérieur de tes narines n'est pas de la peau, mais une muqueuse. Même chose pour ton estomac, ta bouche et ton vagin. Si jamais tu es un gars, ne cherche pas ce dernier sur ton corps, tu risques de perdre des heures précieuses!

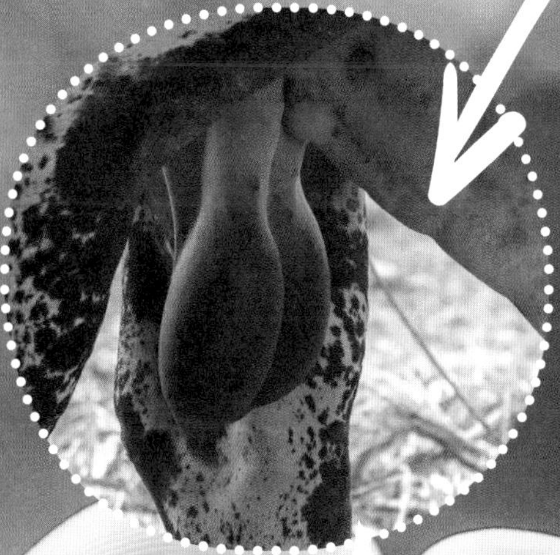

Le **prépuce** est la peau qui enveloppe le gland. On ne parle pas ici du gland qu'on trouve à la base d'un arbre, mais bien du bout rose-mauve au bout du pénis. La **circoncision** est l'intervention chirurgicale qui enlève le prépuce. Pour ne pas qu'on alerte la GRC, je t'illustre le tout à l'aide d'un concombre.

Le **scrotum** est la peau pendante qui recouvre et protège les testicules. Il est aussi surnommé «les bourses». Sur la photo, on voit les bourses d'un homme déguisé en taureau pour l'Halloween.

Autrefois, les Amérindiens étaient surnommés les **Peaux-Rouges**. J'imagine qu'eux, dans leur langage, devaient nous appeler les peaux blanches. Chose certaine, quand ils ont vu les Français au teint pâle débarquer de leurs bateaux, ils ont dû croire à des vampires!

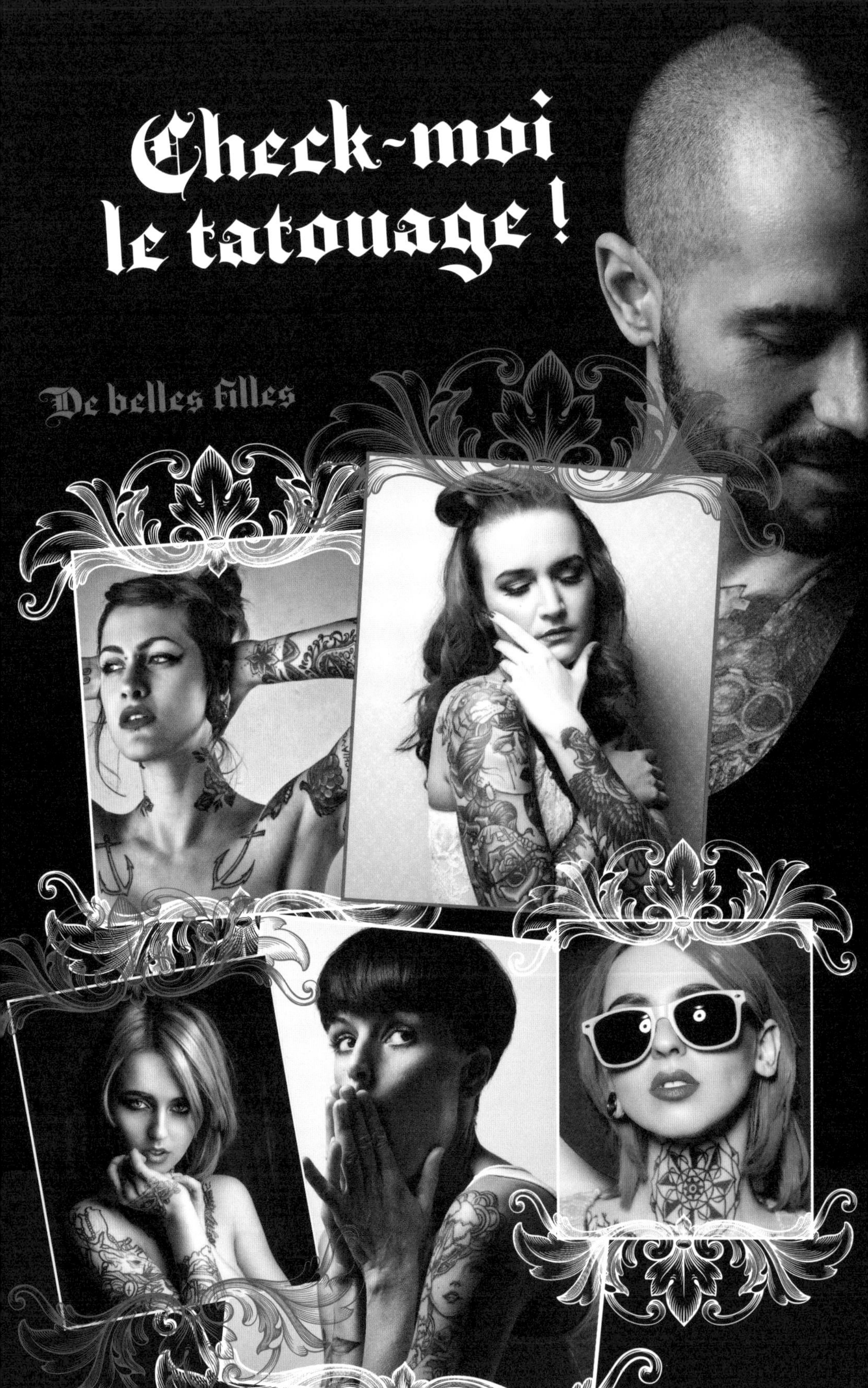
Check-moi
le tatouage !
De belles filles

De beaux gars
Et de bizarres
De beaux pieds
I YOU

9 conseils judicieux

si jamais tu songes à te faire tatouer

1

Si le tatoueur enfile une paire de gants, te demande de baisser tes culottes, puis de prendre une grande inspiration, tu n'es peut-être pas entré au bon endroit...

2

Assure-toi de ne pas avoir peur des aiguilles. Si tu es du genre à t'évanouir quand tu regardes un maringouin, quitte les lieux immédiatement.

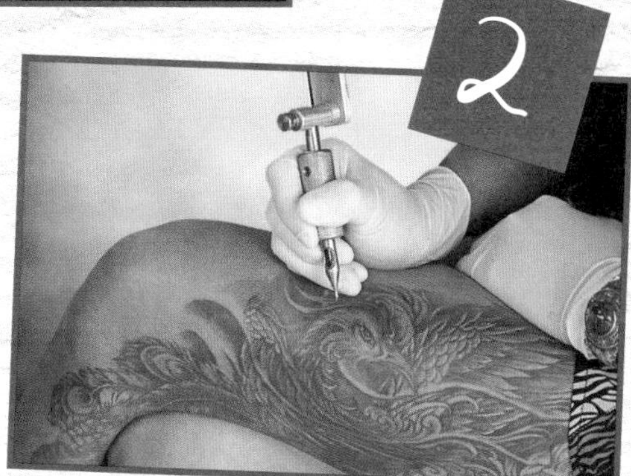

3

Sache que tu auras encore ton tatouage à 70 ans. Les tatouages du type « *FUCK THE SCHOOL* » ne sont donc pas des plus recommandés...

4

Si les tatouages que tu choisis font peur, assure-toi d'avoir le look qui va avec. Une tête de mort sur un gars qui pèse 103 livres n'a pas le même impact...

5

Pour ajouter au mysticisme de ton tatouage, promène-toi avec une tête de squelette.

6

N'oublie jamais que toutes les parties du corps sont des endroits susceptibles d'être tatoués. Pour la tête, il est préférable de faire de la calvitie.

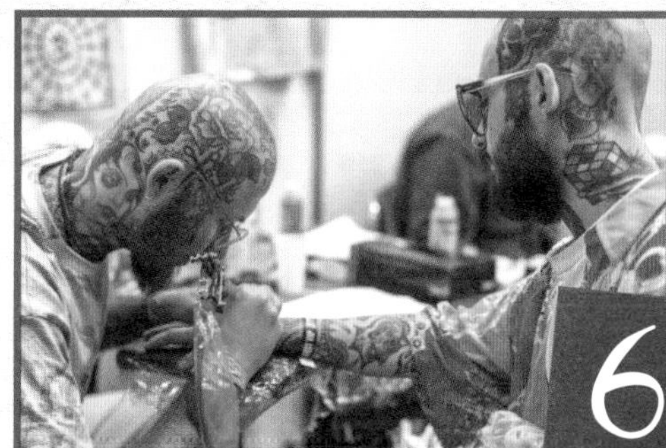

7

N'hésite surtout pas à hurler pendant que tu te fais tatouer. Tu auras ainsi l'impression d'en avoir eu plus pour ton argent.

8

À moins de vouloir te promener en bedaine l'hiver, n'investis jamais plus de 100 000 $ dans ton dos.

9

Question qu'on s'intéresse encore plus à toi, aie toujours l'air torturé ou hanté par ton passé.

Quelques tatouages classiques

Tu veux te faire tatouer en cachette pour ensuite le regretter? Tu ne sais pas quoi choisir? Tu manques d'imagination et d'originalité? Tu es prêt à payer moins cher pour des tatouages démodés? Voici quelques tatouages classiques avec lesquels tu ne peux pas te tromper. En tout cas, c'est ce que tu dois essayer de te faire croire!

Rose

Le classique des classiques: la fameuse rose! Si tu te sens lousse, tu peux ajouter un colibri.

Le dragon

Le dragon ne se démode pas et avec raison. On doit l'avouer, il s'agit de la créature la plus hot: non seulement elle vole, mais en plus elle crache du feu. Mettons que c'est plus impressionnant qu'un pic-bois!

Sinogrammes

Quoi de mieux que de payer une fortune pour un tatouage dans une autre langue que la sienne? Cette demoiselle-ci tenait à se faire tatouer la phrase «Moi, j'aime les *grilled-cheese*» en caractères chinois.

Barbelé

Les barbelés sont le complément essentiel pour tous les biceps musclés. Même si tu n'es jamais allé en prison, ça donne l'impression que tu n'hésiterais pas une seconde à t'évader suite à ton arrestation pour vol de paquet de gommes au dépanneur. Réservés aux rebelles authentiques!

Lui, il n'a rien compris!

Yolo

Ces quatre lettres sont l'acronyme de *You Only Live Once*, ce qui signifie «Tu n'as qu'une seule vie». C'est probablement ce que se disent ceux qui se font faire ce tatouage.

Faux bracelets

Si le barbelé est une coche trop osé pour toi, tu peux te rabattre sur le faux bracelet. Idéal pour les personnes allergiques au cuir !

I LOVE MOM

Tu aimes ta mère ? Lui donner une carte à Noël dans laquelle tu lui écris que tu l'aimes ne suffit pas ? Eh bien, sache que le tatouage est LA solution. Idéalement, on se le fait faire sur le pec gauche, près du cœur.

Namaste

Que ce soit un tatouage, un t-shirt ou une tasse, le mot «Namasté» est assez fréquent. Il est bien connu des amateurs de yoga. En Inde, on l'emploie pour se saluer. Une option tout indiquée pour la personne zen en toi.

Carpe Diem

Tu croiseras souvent ces mots latins au cours de ta vie. Ça signifie: profite du moment présent. On n'est pas très loin du YOLO. Ajoute la rose et le p'tit colibri et tu as le kit complet !

TATTOO OU TATOUAGE ???

Le mot « *tattoo* », qu'on utilise plus fréquemment que « tatouage », est en fait un mot anglais. En français, on dira plutôt « tatouage ». Le mot français « tatou », lui, désigne un mammifère dont la carapace ressemble à une cotte de mailles, l'armure de métal tressé que portaient certains combattants au Moyen Âge.

15 célébrités
avec des tatouages

Angelina Jolie

© Featureflash Photo Agency

Angelina Jolie, dont le divorce avec Brad Pitt a fait couler plus d'encre que toutes les guerres réunies, est née sous le nom d'Angelina Jolie Voight. Son *middle name* est devenu en quelque sorte son nom de famille quand elle a fait retirer Voight de son nom (grosse chicane avec son père à propos d'une boîte de Froot Loops).

Lebron James

© A.RICARDO

Ce joueur étoile de basket-ball, probablement le plus dominant de sa génération, a fait son entrée dans la NBA en 2003. Fait inusité : il est né dans le même hôpital qu'une autre grande star, Stephen Curry (à Akron, en Ohio). Si jamais tu aspirais à devenir un joueur étoile, désolé, tu n'es pas né dans le bon hôpital !

Adam Levine

Adam Levine est le chanteur et leader du groupe Maroon 5, de Los Angeles.

Megan Fox

© s_bukley

Cette mannequin et actrice joue principalement dans des films aux scénarios très élaborés (insère ici un rire sarcastique), dont *Transformers* et *Teenage Mutant Ninja Turtles*.

© Nicescene

© s_bukley

Kelly Osbourne

La fille d'Ozzy Osbourne est devenue connue grâce à son père et à la téléréalité *The Osbournes*, diffusée au début des années 2000. Ces dernières années, elle arbore le look « cheveux lilas », en l'honneur, peut-être, du Télétubby mauve.

Travis Barker

Travis est le batteur du groupe punk-pop Blink-182. On peut affirmer sans trop se tromper que ce gars-là est tatoué de la tête aux pieds. Toute sa famille est tatouée dans son dos : son père, sa mère, ses deux enfants… et Jésus! Il a aussi la Vierge Marie sur le dessus de son crâne. Il se dit très croyant. On le croit, nous aussi !

Savais-tu ça ?

Travis Barker a survécu à un écrasement d'avion survenu le 19 septembre 2008 en Caroline du Sud. Des six personnes à bord, il y eut seulement deux survivants : Travis et Adam « DJ AM » Goldstein, un ami avec qui il formait un duo musical. Cette photo est celle du reste de l'avion après l'écrasement. Difficile de croire que Travis et Adam aient pu s'en sortir vivants ! Travis a souffert de brûlures aux deuxième et troisième degré et a subi de multiples interventions chirurgicales (16 ou 27 dépendamment des sources… méchant écart !), en plus de passer près d'être amputé d'un pied. Sa main gauche est aussi restée engourdie longtemps, ce qui laissait croire que jamais il ne pourrait rejouer de la batterie. Goldstein, lui, est mort environ un an plus tard d'une *overdose*.

Pourquoi pas Blink-183 ?

Au tout début, le groupe s'appelait Blink, mais comme un groupe irlandais portait déjà ce nom, les gars ont dû le changer afin d'éviter des poursuites. Ils ont opté pour Blink-182. Mais d'où vient donc ce 182 ? C'est là que l'histoire devient très intéressante. Il existe à peu près 182 théories à ce propos. La plus commune est la suivante : c'est le nombre de fois que l'acteur Al Pacino prononce le mot « *fuck* » dans le film *Scarface*, un classique du cinéma sorti en 1983. Cette raison est mentionnée si fréquemment que plusieurs sites sérieux prétendent à tort qu'il s'agit de la vérité. Autres théories qui circulent à propos du 182 : c'est le poids idéal de Mark Hoppus (en livres !) ou le numéro du bateau de son grand-père lors de la Deuxième Guerre mondiale. C'est d'ailleurs Mark Hoppus qui, en entrevue, a révélé la vérité : les membres ont simplement sorti un nombre de leur cru, comme ça, car leur maison de disque menaçait de décider pour eux. Décevant, n'est-ce pas ? Comme quoi les légendes urbaines sont souvent plus intéressantes que la vérité…

De gauche à droite : Tom Delonge (qui ne fait plus partie du groupe depuis 2015), Travis Barker et Mark Hoppus.

David Beckham

Ce joueur de soccer britannique à la retraite fait rêver bien des femmes avec raison : il a un corps de dieu et une gueule de dur-à-cuire-mais-y'a-l'air-fin. On le voit ici à la fin d'un match en compagnie de ses 56 abdominaux.

P!nk

Alecia Beth Moore, de son vrai nom, a une carrière de chanteuse très enviable. Non seulement est-elle adulée du public, mais elle est aussi l'une des rares chanteuses pop à avoir la faveur des critiques. Il faut dire qu'elle écrit elle-même ses chansons et qu'elle ne fait pas dans la pop bonbon. Elle est l'une des rares à avoir un look de *tough* tout en étant féminine.

John Mayer

John Mayer est né le 16 octobre 1977, soit 3 jours avant Louis-José Houde. Bon, ça n'a pas rapport, mais je voulais te faire part de cette découverte. D'ailleurs, le nombre 77 est tatoué sur sa poitrine. En regardant la photo, tu devines que ce n'est pas ses talents à la pétanque qui font sa réputation.

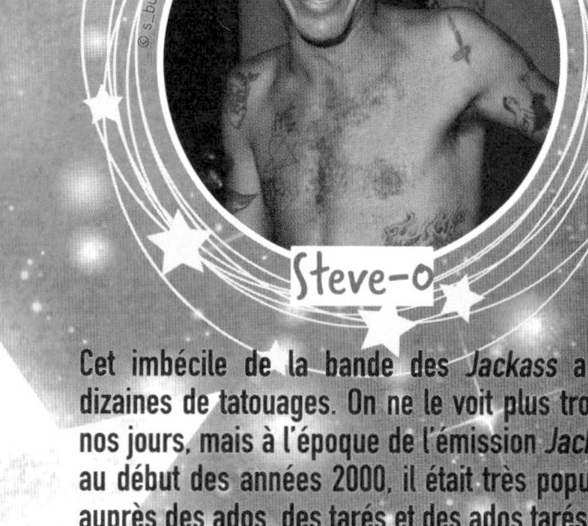

Steve-O

Cet imbécile de la bande des *Jackass* a des dizaines de tatouages. On ne le voit plus trop de nos jours, mais à l'époque de l'émission *Jackass*, au début des années 2000, il était très populaire auprès des ados, des tarés et des ados tarés. Ses spécialités : se brocher les couilles et se faire vomir sur commande. Un vrai intellectuel !

Mike Tyson

Cet ancien boxeur, surnommé Iron Mike, a fait des ravages dans les années 1980. Il gagnait tous ses combats, la plupart du temps en quelques secondes seulement. Il était une vraie bête enragée que l'on croyait invincible. Mal préparé, il a frappé un mur en la personne de James « Buster » Douglas en 1990, puis il est revenu au sommet dans les années suivantes. En 1996, il s'est fait dominer par Evander Holleyfield. L'année suivante, lors du combat revanche tant attendu, Tyson, frustré de se faire autant malmener, lui a croqué une oreille. Sur YouTube, tu peux même le voir cracher le ti-bout croquant ! Tyson fut disqualifié et ce fut le début de la descente aux enfers d'une légende. En 2002, le mastodonte Lennox Lewis l'a démoli.

Le beau gosse Ryan Gosling est un acteur canadien né à London, en Ontario. Il a fait ses débuts à la télé au *Mickey Mouse Club* en 1993 avec Justin Timberlake, Britney Spears et Christina Aguilera. Cette émission était un mélange de sketchs et de performances musicales. Ryan aurait très bien pu se retrouver dans le groupe NSYNC avec Justin et faire pleurer les adolescentes hystériques, or il a plutôt poursuivi une carrière d'acteur.

© Featureflash Photo Agency

Ryan Gosling

Rita Ora

© Featureflash Photo Agency

Malgré ses airs de Sud-Américaine, la chanteuse et actrice Rita Ora n'est pas originaire de notre continent. Elle est née en Yougoslavie (un pays qui n'existe plus) de parents albanais (Albanie) sous le nom de Rita Sahatçiu. Le « Ora » a été rajouté plus tard et signifie « temps » en albanais. Vers l'âge d'un an, elle a déménagé à Londres, où elle a grandi.

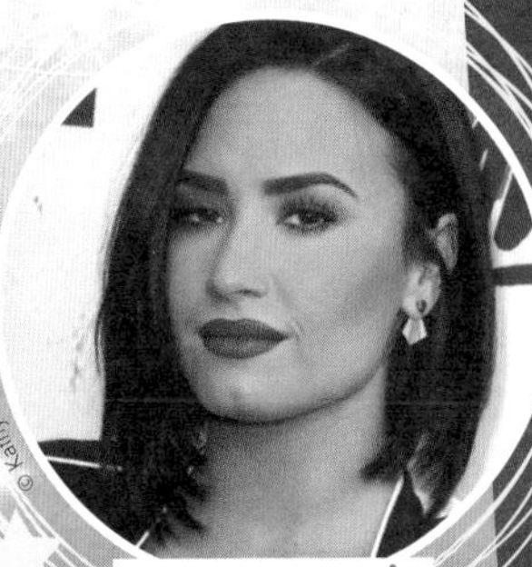

© Kathy Hutchins

Demi Lovato

Clarifions plusieurs choses : Demi Lovato n'est pas la fille de l'actrice Demi Moore, elle a une demi-sœur et elle ne me considère pas comme un demi-dieu. Son vrai prénom est Demetria (Demi est son surnom). Elle est originaire d'Albuquerque, au Nouveau-Mexique (l'état entre le Texas et l'Arizona). Elle a une multitude de tatouages, dont une plume derrière une oreille, des lèvres sur un poignet et les mots « *Peace* » et « *Rock N Roll* » sur deux doigts. Fait inintéressant : si on inverse les deux premières voyelles de Lovato, son nom devient Lavoto.

Jennifer Aniston

© Featureflash Photo Agency

Jennifer Aniston, qui n'est pas une actrice de ta génération, est très connue des 30 ans et plus. Elle faisait partie de la distribution d'une des *sitcoms* les plus populaires de tous les temps : *Friends* (1994 à 2004). Elle a le nom « Norman » tatoué sur un pied. Il ne s'agit pas du nom de son amoureux ni d'un proche, mais bien de celui de son chien, décédé en 2011 d'une overdose de croquettes au poulet.

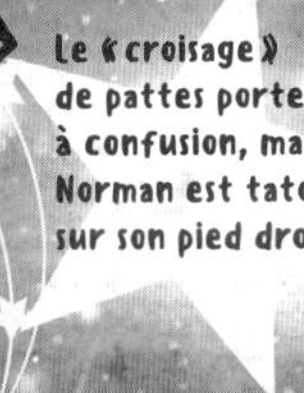

© DFree

Le « croisage » de pattes porte à confusion, mais Norman est tatoué sur son pied droit.

© Featureflash Photo Agency

Juste pour te mêler, la bande de *Friends*, du plus petit jusqu'au plus grand : Jennifer Aniston, Courteney Cox, Matt LeBlanc, Lisa Kudrow, Matthew Perry et David Schwimmer.

REPORTAGE PUBLICITAIRE

TU TE SENS SUIVI ? TU ES VICTIME D'INTIMIDATION À L'ÉCOLE ? TU SOUPÇONNES QU'UN MANIAQUE SE CACHE DANS TON GARDE-ROBE AFIN D'EN SORTIR DURANT TON SOMMEIL POUR TE COUPER LA TÊTE ? CESSE DONC DE FRÉMIR COMME UNE FILLETTE ET FAIS APPEL AU DUR À CUIRE GAÉTAN « LA BRUTE » VACHON !

CHAMPION DU MONDE DE BROSSARD EN KARATÉ, GAÉTAN VACHON N'A PAS FROID AUX YEUX, MÊME LORSQU'IL PRATIQUE LE SKI ALPIN SANS LUNETTES !

C'EST EN TOUTE QUIÉTUDE QUE TU PEUX FAIRE APPEL À CE GARDE DU CORPS DISCRET QUI SAURA TE DÉFENDRE DE TOUS LES DANGERS : LES ATTAQUES DE CHIHUAHUAS, LES VOLEURS SANS PITIÉ, LES CAMELOTS AGRESSIFS AINSI QUE LES EXTRATERRESTRES MAL INTENTIONNÉS.

CESSE DONC D'ÉCONOMISER POUR T'ACHETER UNE CONSOLE DE JEUX VIDÉO ET CONSOLE-TOI PLUTÔT SUR LE FAIT QUE TA SÉCURITÉ SERA ASSURÉE PAR UN EXPERT. UN VRAI !

ARRÊTE DE TATAOUINER PIS DÉCROCHE LE TÉLÉPHONE, SINON GAÉTAN SERA PAS CONTENT !

*MAXIMUM DE 3 QUESTIONS

IL Y A UNE CROYANCE FORT RÉPANDUE QUI DIT QUE...

UNE AUTRUCHE QUI A PEUR SE CACHE LA TÊTE DANS LE SABLE.

J'ai peur de personne, moi!

MAIS MOI, JE TE DIS QUE...

Une visite au parc Safari suffit pour conclure que, de tout le royaume animal, les autruches se situent au sommet du classement des animaux les plus imbéciles. Non, mais imagine à quel point elles doivent être frustrées : elles sont à peu près les seuls oiseaux incapables de voler. Même les pigeons se foutent de leur gueule !

Farce à part, une autruche pourrait-elle être idiote au point de se cacher la tête dans le sable en croyant que les prédateurs ne la voient plus ? Non. Ceci est une croyance qui n'a absolument aucun fondement scientifique.

Quand une autruche a la chienne, elle a plusieurs façons de s'en sortir : se coucher au ras le sol et faire la statue, se défendre en donnant des coups de patte ou décamper. Et heureusement pour elle, elle court super vite. Idiote... mais rapide !

Étant donné que le plumage de la femelle est gris-brun pâle, une autruche couchée au sol peut donner l'impression qu'elle a la tête dans le sable. Ce type de camouflage est efficace contre ses prédateurs. D'autres actions de l'autruche peuvent causer cette illusion : lorsqu'elle se nourrit en fouillant dans le sable à la recherche d'insectes ou qu'elle prend soin de ses œufs enfouis dans le sol. Il se pourrait aussi qu'elle participe à un concours de châteaux de sable.

L'ENCYCLOPÉDIE NON AUTORISÉE des autruches

L'autruche est le plus grand et le plus gros des oiseaux. Son poids, pouvant dépasser les 300 livres, fait en sorte qu'elle passe le plus clair de son temps à chercher de la nourriture. Elle peut facilement parcourir des dizaines de kilomètres par jour et par chance, il y a moins de trafic dans la savane qu'à Montréal. Elle préfère les végétaux, mais elle mange aussi des insectes et de petits animaux comme les lézards. Pour l'aider à digérer, elle avale du gravier et des roches.

Un œuf d'autruche, c'est très gros. En voici un à côté d'œufs de caille et de poule. Selon sa grosseur, un œuf d'autruche équivaut à peu près à 2 douzaines d'œufs de poule. Quand on projette de cuisiner une omelette avec un œuf d'autruche, mieux vaut donc jeûner les 3 jours précédents!

D'après toi, quelle est l'espérance de vie d'une autruche? 10 ans? 15 ans? Attache ta tuque: à l'état sauvage, l'autruche peut vivre jusqu'à 70 ans! En captivité, on parle plutôt de 40 ans. Certaines sources, dont le *Larousse*, prétendent le contraire: 40 ans à l'état sauvage contre 70 ans en captivité. On pourrait être porté à croire que les animaux en captivité vivent plus vieux, mais ce n'est pas toujours le cas. Ça dépend des espèces. Qui croire? Peu importe que ce soit 30, 40 ou 70 ans, il reste qu'une autruche a une espérance de vie impressionnante!

Un œuf d'autruche ne se craque pas facilement comme un œuf de poule. Un marteau (ou une grenade) est nécessaire. Pour préparer un œuf dur d'autruche, il faut le faire bouillir pendant une heure et demie. Il ne faut pas être pressé le matin!

Les autruches mâles ont souvent plusieurs partenaires, qui pondent dans le même nid (choisi par le mâle) et deviennent des colocs en quelque sorte ! Il peut y avoir des dizaines d'œufs dans le même nid. Les tâches sont bien partagées: les femelles couvent les œufs le jour, les mâles les couvent la nuit. Mais qu'en est-il du ménage ?

Sur eBay, les coquilles d'œuf vides d'autruche semblent avoir la cote. Lors de la rédaction de ces lignes, celle-ci était d'ailleurs en vente pour $ 30 USD. Pas de farce! Que font les acheteurs avec ces coquilles ? Aucune idée. Je me demande surtout quelle sorte de boîte est nécessaire pour éviter les bris...

Les petits de l'autruche sont appelés des **autruchons**.

Avec ses plumes du corps noires et ses plumes des ailes et de la queue blanches, le mâle est facilement reconnaissable. On le voit ici en train de se pavaner pour séduire les femelles. Celle de gauche semble particulièrement allumée!

Bien que cela varie selon les saisons, les autruches vivent habituellement en groupe. Ce phénomène s'appelle le **grégarisme**. En général, on parle d'une dizaine d'autruches par groupe, mais ce nombre peut grandement différer, ce qui fait qu'il peut y avoir aussi bien 5 que 30 autruches présentes à une soirée vins et fromages.

Amatrice des films de kung-fu, l'autruche se défend contre ses prédateurs en donnant des coups de patte puissants. Le plus gros de ses deux doigts possède un ongle robuste et tranchant. Elle peut tuer un humain et même un lion. Conseil d'ami: au parc Safari, ne débarque pas de ta voiture!

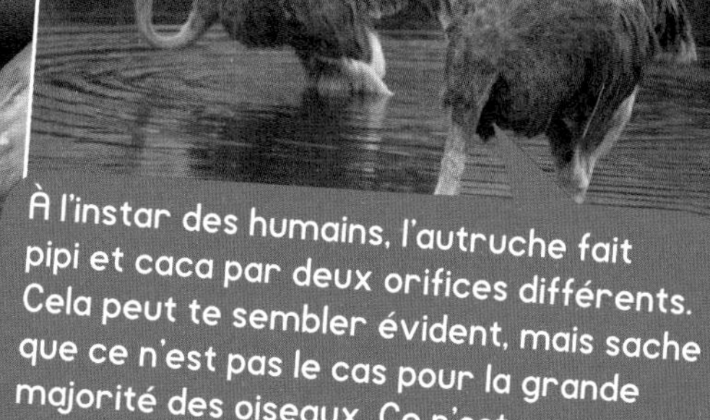

À l'instar des humains, l'autruche fait pipi et caca par deux orifices différents. Cela peut te sembler évident, mais sache que ce n'est pas le cas pour la grande majorité des oiseaux. Ce n'est pas pour rien que les chiures de mouette sont si liquides!

Grâce à ses longues pattes musclées, l'autruche est plus rapide que bien des animaux. Elle peut courir à 50 km/h pendant 20-30 minutes s'il le faut. C'est une vitesse que n'atteint même pas Usain Bolt! Sur une courte période, l'autruche est même capable de pousser la machine jusqu'à 70 km/h. En comparaison, le guépard, l'animal le plus rapide sur la planète, peut dépasser les 100 km/h.

Bien que semblables aux autruches, ces oiseaux n'en sont pas. Ce sont des **émeus.** Et comment appelle-t-on des émeus qui vivent de grandes émotions? Des émeus émus!

10 vérités bouleversantes et époustouflantes à propos de l'autruche

Malgré ce que laisse présumer son nom, elle n'est pas originaire d'Autriche.

Elle est capable de se cacher la tête dans la télé !

Dans son nom se cachent les mots « ruche », « truc », « au » ainsi qu'« Utru », un prénom hongrois très très très rare.

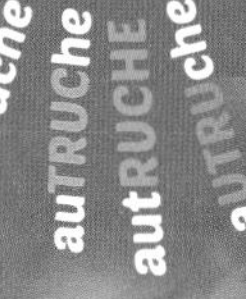

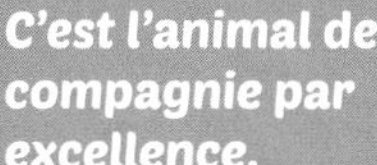

C'est l'animal de compagnie par excellence.

Comme Justin Trudeau, elle adore les *selfies*.

Bien que photogénique, elle n'a aucun goût en matière de coiffure.

Le mot « autruche » rime avec « cruche », « perruche », « embûche », « nunuche » ainsi qu'« autruches » au pluriel.

autruche
cruche
perruche
embûche
nunuche

Elle est vaniteuse et vicieuse. Sur cette photo, elle s'apprête à picosser le crâne de Bill Gates.

Son derrière ressemble à un museau de mandrill.

Alors que nous nous moquons d'elles, les autruches mijotent un plan secret afin d'exterminer la race humaine. En 2048 ? En 2125 ? Seul l'avenir nous le dira. Chose certaine, nos jours sont comptés...

Quoi de neuf, docteur ?

Peu importe le « wéseau », la structure d'un œuf est pas mal toujours la même. Voici donc à quoi ressemble un œuf de poule:

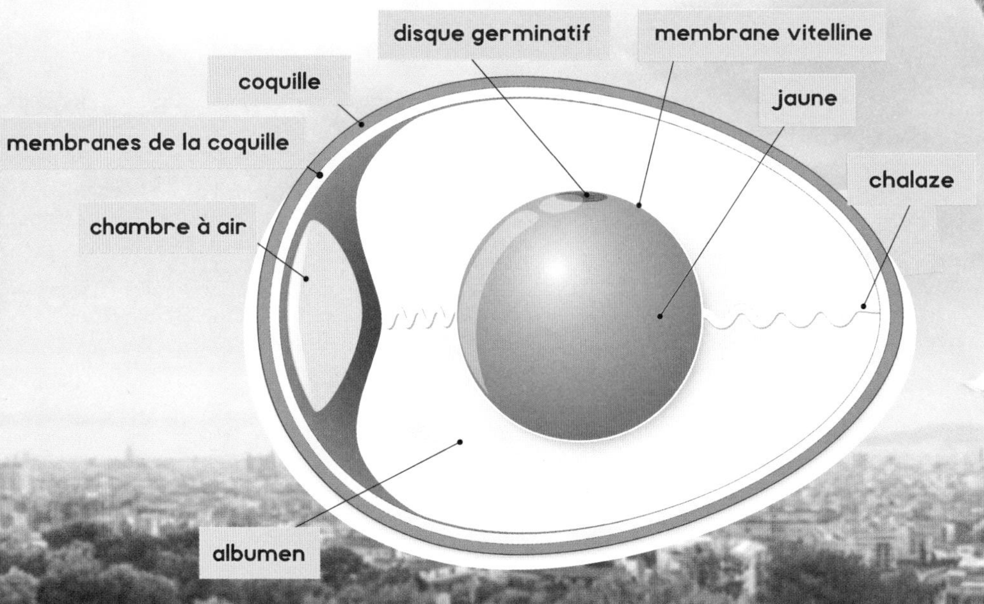

La **coquille** de l'œuf est sa principale barrière de protection. Elle empêche les bactéries de pénétrer. Tu crois cette coquille 100 % opaque ? Détrompe-toi ! Elle contient 10 000 minuscules pores qui permettent à l'humidité et aux gaz de pénétrer et de s'échapper de l'œuf. Imagine des pores de peau, mais microscopiques.

La **chambre à air** est située entre la coquille et le blanc sur l'extrémité la plus grosse de l'œuf. Plus l'œuf est frais et plus la chambre à air est petite.

Après la coquille, il y a deux **membranes** qui protègent l'œuf : une collée à l'intérieur de la coquille et l'autre autour du blanc. Ces membranes se voient lorsque tu casses un œuf.

Le blanc d'œuf s'appelle l'**albumen**. Il représente à peu près le 2/3 de l'œuf. Il est constitué d'eau, de protéines et de minéraux. Chez les culturistes et amateurs de gros muscles, ce sont les blancs d'œufs qui sont recherchés à cause de leur haute teneur en protéines et leur faible taux de gras.

Daniel Brouillette au Championnat du monde des gros pecs 2016 (4e place).

Sur le schéma, le bidule blanc qui ressemble à un élastique tordu s'appelle la **chalaze**. Elle a pour rôle de maintenir le jaune en suspension. Lorsqu'on casse un œuf, la chalaze est le filament blanc sur le jaune. Plus l'œuf est frais et plus la chalaze est évidente.

La **chalaze**, une fois l'œuf cassé. À mordiller avec passion.

La **membrane vitelline** enveloppe le jaune. Plus l'œuf est frais et plus cette membrane est résistante. Par contre, peu importe la fraîcheur, elle a peu de ressources contre les scies sauteuses.

Le **disque germinatif** est un petit creux à la surface du jaune. C'est par là qu'entre le spermatozoïde chanceux du coq. Rassure-toi, il n'y a pas de spermatozoïdes dans les œufs que tu manges ! J'y reviendrai un peu plus loin...

Quel est le nom scientifique du **jaune** d'œuf ? Le jaune d'œuf. Les biologistes ne savaient pas trop quel nom lui donner. J'attends vos suggestions ! En anglais, le jaune est appelé *yolk* (le « l » ne se prononce pas).

COUCHE-TOI MOINS *niais-œufs* ?

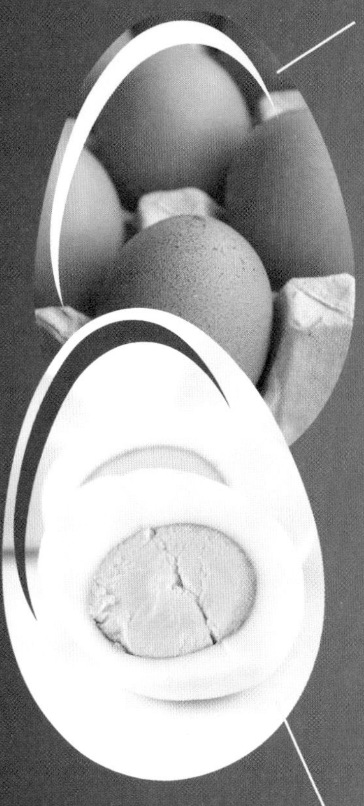

BLANCS VS BRUNS

ON DIT SOUVENT À LA BLAGUE AUX JEUNES ENFANTS QUE LES VACHES BRUNES DONNENT DU LAIT AU CHOCOLAT, MAIS QU'EN EST-IL DES ŒUFS BRUNS ? EST-CE À CAUSE DE LA NOURRITURE QUE MANGENT LES POULES ? CES ŒUFS COÛTENT UN TANTINET PLUS CHER, ALORS SONT-ILS MEILLEURS POUR LA SANTÉ ? EN FAIT, LA COULEUR DE L'ŒUF DÉPEND UNIQUEMENT DE L'ESPÈCE DE POULE. CÔTÉS NUTRITIF ET GOÛT, ILS SONT IDENTIQUES.

MANGER UN POUSSIN ?

LE JAUNE D'ŒUF EST UNE RÉSERVE DE NOURRITURE POUR LE FŒTUS ET NON UN FUTUR POUSSIN. D'AILLEURS, TU PEUX COUVER UN ŒUF DANS TON LIT, JAMAIS TU N'ENTENDRAS DE CUI-CUI. POUR FAIRE UN POUSSIN, IL FAUDRAIT QUE TES ŒUFS SOIENT FERTILISÉS. ET CEUX QUE TU ACHÈTES À L'ÉPICERIE NE LE SONT PAS, CAR IL N'Y A PAS DE COQ QUI COURT LA GALIPOTE PARMI LES POULES PONDEUSES. MÊME QUE CES POULES N'ONT JAMAIS VU DE COQ DE LEUR VIE !

AU SECOURS, IL Y A DU GRIS !

SI TES ŒUFS DURS BOUILLENT TROP LONGTEMPS, IL PEUT Y AVOIR DU GRIS OU DU VERT AUTOUR DU JAUNE. CETTE COULEUR EST DUE À UNE RÉACTION ENTRE LE FER PRÉSENT DANS LE JAUNE ET LE SOUFRE PRÉSENT DANS LE BLANC. CE N'EST PAS GRAVE DU TOUT. C'EST AUSSI BON, JUSTE MOINS JOLI. UN BON TRUC EST DE PLONGER LES ŒUFS CUITS DANS L'EAU TRÈS FROIDE AFIN D'ARRÊTER LE PROCESSUS DE CUISSON.

DU SANG ?!!

IL SE PEUT QUE TU AIES DÉJÀ APERÇU UNE TACHE DE SANG DANS UN ŒUF. C'EST DÛ À LA RUPTURE D'UN VAISSEAU SANGUIN PENDANT LA FORMATION DE L'ŒUF ET NON PARCE QUE LA POULE A TROP FORCÉ POUR PONDRE SON ŒUF. CES MINI TACHES SONT SANS DANGER.

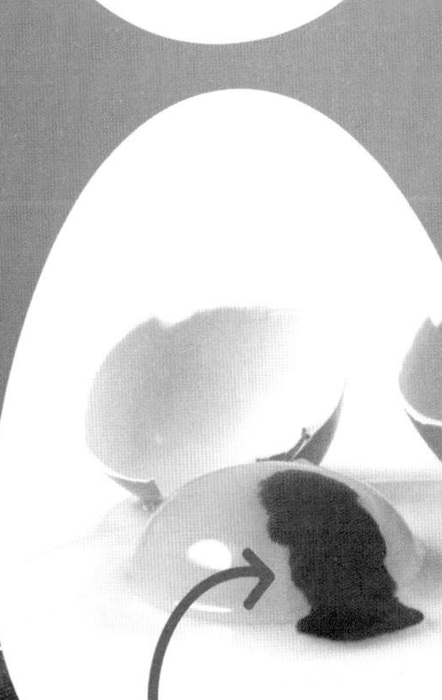

Ceci est une dramatisation. Ne pas tenter de reproduire à la maison!

YARK !

CERTAINES PERSONNES SONT FRIANDES DES ŒUFS DANS LE VINAIGRE. JE N'EN AI JAMAIS RENCONTRÉ ET JE NE LE SOUHAITE PAS, MAIS COMME IL Y EN A À L'ÉPICERIE À CÔTÉ DES LANGUES DE PORC DANS LE VINAIGRE (DOUBLE YARK !), JE DEVINE QUE ÇA DOIT SE VENDRE...

ÇA SENT LES ŒUFS POURRIS !

COMMENT SAVOIR SI UN ŒUF EST ENCORE BON SANS LE CASSER ? FACILE. METS-LE DANS UN BOL D'EAU. S'IL CALE, C'EST QU'IL EST FRAIS. S'IL FLOTTE, ÇA NE VEUT PAS DIRE QU'IL N'EST PLUS BON, MAIS IL EST MOINS FRAIS, CAR AVEC LE TEMPS, LA CHAMBRE À AIR PREND DE L'EXPANSION. MIEUX VAUT ALORS UTILISER CET ŒUF POUR TE CUISINER UN GÂTEAU DE FÊTE. PAR CONTRE, SI EN LE CASSANT, IL SENT LE POURRI, MIEUX VAUT L'OFFRIR EN CADEAU À LA POUBELLE !

VIVE LE CANADA !

DANS LE GUIDE ALIMENTAIRE CANADIEN, LES ŒUFS FONT PARTIE DU GROUPE DES VIANDES ET SUBSTITUTS ÉTANT DONNÉ LEUR FORTE TENEUR EN PROTÉINES. ON LES APPLAUDIT !

MON ŒUF EST *FULL* GROS !

ATTENTION, LES ŒUFS SONT CLASSÉS SELON LE POIDS ET NON LA TAILLE. VOICI LES DIFFÉRENTS CALIBRES :

PEEWEE (TRÈS PETIT) : moins de 42 grammes (bonne chance pour en trouver à l'épicerie, je n'avais jamais entendu ce terme!)

PETIT : au moins 42 grammes

MOYEN : au moins 49 grammes

GROS : au moins 56 grammes

EXTRA GROS : au moins 63 grammes

JUMBO : 70 grammes ou plus (on aurait aussi pu les appeler les œufs de catégorie « obèse »)

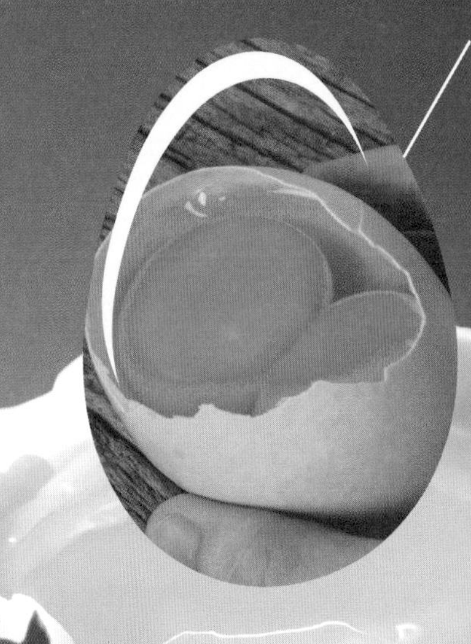

DEUX JAUNES POUR LE PRIX D'UN !

PARFOIS, UN ŒUF CONTIENT DEUX JAUNES. TANT MIEUX SI TU AIMES LES JAUNES ET TANT PIS SI TU PRÉFÈRES LE BLANC ! CETTE ANOMALIE N'EST PAS GRAVE DU TOUT. AU CONTRAIRE, ÇA TE DONNE DES HISTOIRES ROCAMBOLESQUES À RACONTER À TES TANTES DANS LES PARTYS DE NOËL ! CELA ARRIVE HABITUELLEMENT AUX ŒUFS DES JEUNES POULES PONDEUSES. IL FAUT CROIRE QU'ELLES SONT UN PEU TROP ENTHOUSIASTES !

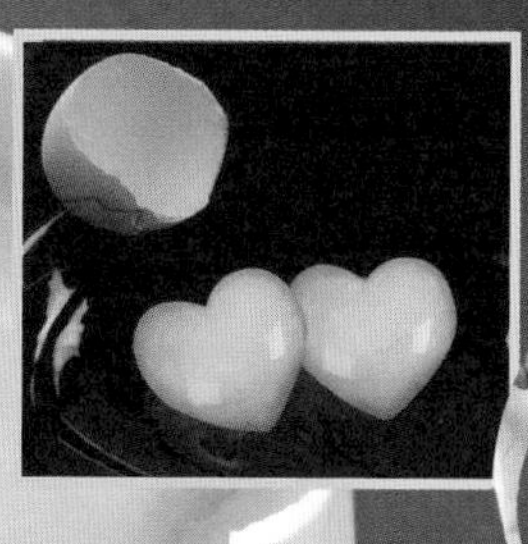

FAIS DES DÉGÂTS

VOICI UNE EXPÉRIENCE ÉTONNANTE. PRENDS UN ŒUF CRU DANS LE FRIGO. AVANT QUE TU POSES LA QUESTION, ÇA PEUT ÊTRE UN ŒUF BRUN OU OMÉGA-3, ÇA NE DÉRANGE VRAIMENT PAS ! PLACE UNE EXTRÉMITÉ DE L'ŒUF DANS TA PAUME GAUCHE ET TIENS-LE DEBOUT. AVEC TA PAUME DROITE, TENTE D'ÉCRASER L'ŒUF EN PESANT SUR L'EXTRÉMITÉ DU DESSUS. TU PEUX FORCER EN MALADE, L'ŒUF NE BRISERA JAMAIS !

P.-S. SI JAMAIS TU RÉUSSIS À LE CASSER ET QUE TU FAIS UN GROS DÉGÂT, PRIÈRE DE POURSUIVRE LA MAISON D'ÉDITION LES MALINS ET NON DANIEL BROUILLETTE.

ALLERGIQUE AUX ŒUFS = ALLERGIQUE AU POULET ?

UN ADO ALLERGIQUE AUX ŒUFS PEUT-IL SE BOURRER LA FACE DE PÉPITES DE POULET FLAMINGO ? HABITUELLEMENT, OUI. LA MAJORITÉ DES PERSONNES ALLERGIQUES AUX ŒUFS NE SONT PAS ALLERGIQUES AU POULET, CAR LEURS ANTICORPS N'IDENTIFIENT PAS LE POULET COMME RELIÉ AUX ŒUFS. MAIS COMME LA VIE N'AIME PAS LES « TOUJOURS » ET LES « JAMAIS », IL Y A DES INDIVIDUS QUI RÉAGISSENT AUX DEUX, COMME SI LE CORPS NE FAISAIT PAS LA DISTINCTION ENTRE L'UN ET L'AUTRE.

C'TU ENCORE BON ?

DÈS QU'IL EST PONDU, UN ŒUF SE CONSERVE UNE QUARANTAINE DE JOURS. AU LIEU DE T'ACHETER UN CALENDRIER STRICTEMENT DÉDIÉ À LA CONSERVATION DE TES ŒUFS, REGARDE DONC LA DATE SUR L'EMBALLAGE. ENCORE MIEUX : REGARDE SUR L'ŒUF, LA DATE EST IMPRIMÉE DESSUS ! EN GÉNÉRAL, LES ŒUFS SE RETROUVENT À L'ÉPICERIE 6 JOURS APRÈS AVOIR ÉTÉ PONDUS. SI JAMAIS TU OUBLIES TA DOUZAINE D'ŒUFS SUR LE COMPTOIR QUELQUES HEURES, PAS DE PANIQUE. ILS SE CONSERVENT ENVIRON 6 JOURS À LA TEMPÉRATURE DE LA PIÈCE. PAR CONTRE, SI UN SANDWICH AUX ŒUFS TRAÎNE AU CHAUD DANS UN BUFFET, MIEUX VAUT L'ÉVITER.

Deviens champion du monde en cuisson des œufs

On s'entend pour dire que l'œuf est un aliment très banal. Ce n'est pas pour rien qu'il existe mille et une façons de l'apprêter. Voici un guide détaillé qui t'aidera à faire coller tes œufs au fond des poêles et chaudrons à tout coup.

Œuf cuit dur

Le nom le dit: un œuf cuit dur (ou simplement un œuf dur) est un œuf qui a bouilli suffisamment longtemps pour que le jaune soit entièrement cuit. Au lieu de plonger ton œuf dans l'eau bouillante et risquer que le choc de température le fasse craquer, emploie cette technique de pro: mets l'œuf dans le chaudron, ajoute de l'eau froide, puis amène le tout à ébullition. Quand l'œuf est cuit, après environ 10 minutes, plonge-le dans l'eau froide pour stopper sa cuisson et éviter de te brûler les doigts en l'écaillant.

Œuf à la coque

L'œuf dur est souvent appelé « œuf à la coque » et il s'agit là d'une grave erreur ! L'œuf à la coque est légèrement cuit : le jaune reste liquide. Il est servi avec sa coquille dans un **coquetier**.

Œuf miroir

L'œuf miroir (aussi appelé œuf au plat) ne doit jamais être tourné ni crevé durant la cuisson. Ainsi, le jaune reste rond et semi-liquide. Il est toujours amusant de juxtaposer deux œufs miroirs, ce qui donne l'impression de manger deux yeux joyeux.

Œuf tourné crevé

Si tu n'aimes pas le jaune coulant de l'œuf miroir, l'œuf tourné crevé (ou crevé tourné, mets les mots dans l'ordre que tu veux) est pour toi. Lorsque tu casses l'œuf, perce le jaune avec un couteau, une fourchette ou une égoïne. À mi-cuisson, tourne l'œuf afin de le cuire également des deux côtés. L'œuf crevé tourné est rarement cité dans les livres de recettes. Il est plutôt un terme utilisé dans les restaurants et dans ta cuisine. À noter qu'il existe aussi l'œuf tourné, mais pas crevé. Le jaune reste coulant, mais légèrement moins que l'œuf miroir. Peu importe ta préférence, ces différentes cuissons entrent dans la famille des «œufs frits». Si jamais ton blanc est caoutchouteux, c'est que ton œuf a trop cuit.

Œuf poché

L'œuf poché est cuit sans la coquille dans de l'eau frémissante (presque bouillante). Le secret d'un bon œuf poché est d'ajouter un peu de vinaigre à l'eau et d'utiliser un œuf très frais. Plus l'œuf est frais et plus le blanc coagule facilement autour du jaune. Attention : quand on n'utilise pas les bonnes techniques, il est très facile de «pocher» la cuisson de l'œuf poché. .

Œuf brouillé

L'œuf brouillé est un œuf cuit sur la poêle qu'on brasse sans arrêt avec une spatule. Il est essentiel dans tout déjeuner de cochon constitué de bacon, de saucisses, de jambon et de crêpes noyées dans le sirop.

Omelette

L'omelette est peu dispendieuse, rapide à cuisiner et, comme il n'existe pas de recette fixe, est idéale pour passer les restants du frigo. Elle se mange bien cuite ou légèrement baveuse, selon ta tolérance au ti-mouillé.

UNE OMELETTE GÉANTE À GRANBY !

À Granby, il n'y a pas que le zoo! Chaque année, à la Saint-Jean-Baptiste, a lieu la Confrérie de l'omelette géante. À l'occasion de cette fête, on y cuit une omelette géante et on la sert au public venu en grand nombre se nourrir gratis.

Œuf cru

L'œuf cru est de loin l'œuf le plus facile à cuisiner.
Il se réussit facilement en suivant ces 20 étapes:

1. ouvrir le frigo;
2. tasser le pot de margarine devant la douzaine d'œufs;
3. tendre la main vers la douzaine d'œufs;
4. saisir l'emballage de carton;
5. ouvrir le couvercle en carton;
6. sélectionner un œuf à l'aide de la comptine *Ma p'tite vache a mal aux pattes*;
7. prendre l'œuf élu par le fruit du hasard;
8. déposer cet œuf sur le comptoir, loin des objets contondants;
9. replacer l'emballage en carton dans le frigo;
10. remettre le contenant de margarine devant l'emballage d'œufs afin de devoir le retasser la prochaine fois;
11. fermer la porte du frigo;
12. reprendre l'œuf qui n'a pas été percé par un objet contondant;
13. casser la coquille de l'œuf en le cognant délicatement sur le coin du comptoir (sans l'aide d'un objet contondant);
14. ouvrir la coquille au-dessus de la bouche;
15. laisser l'œuf gluant envelopper le palais;
16. avaler;
17. savourer;
18. récurer la coquille avec la langue afin de récupérer le blanc d'œuf encore collé;
19. avaler et savourer de nouveau;
20. si l'appétit le dicte, répéter toutes ces étapes.

Les œufs chez les animaux

Voici à quoi ressemble un python lorsqu'il naît. Ça donne le goût de courir à l'animalerie s'en acheter un, hein ? Un œuf de python à la coque, miam !

Les œufs de fourmis sont pondus uniquement par les reines.

Une future sacoche en peau de crocodile !

Qui a pondu ces œufs qui ressemblent à des graines de chia gonflées ? Une grenouille !

Est-ce un outil tombé au fond de l'eau ? Non, c'est un œuf de requin !

Un œuf de tortue est semblable à une balle de ping-pong, mais il bondit plutôt mal.

La pieuvre pond des dizaines de milliers d'œufs. Lorsqu'elle est faible, il lui arrive de s'en nourrir. Du lot, bon nombre de ces œufs seront mangés par les prédateurs.

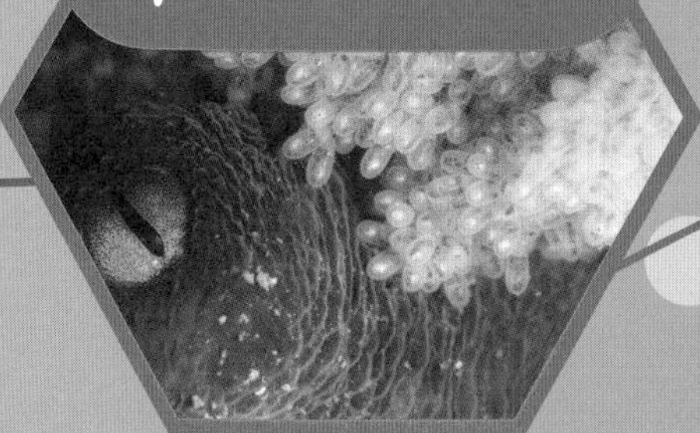

Cette coccinelle est en train de pondre ses œufs jaunâtres, alors on ne la dérangera pas. En tout, il y en aura des dizaines, voire même des centaines.

Les œufs de canards sont assez semblables à ceux des poules.

L'espèce de Tootsie Roll qui semble sortir du derrière de cette coquerelle n'est pas un numéro deux, mais bien un œuf.

Chez l'hippocampe, c'est le mâle et non la femelle qui porte les œufs. Les œufs éclosent dans son ventre, puis il expulse les bébés par une poche ventrale par centaines, comme s'il toussait. Il y a quelques vidéos spectaculaires sur le net, ne les rate pas! Sur le lot, quelques individus survivent seulement...

LE JEU des 7 erreurs et demie !

Afin de terminer ce volume 2 en beauté, quoi de mieux que le bon vieux jeu des 7 différences ? Par le fait même, ça permettra à la maison d'édition les Malins de recevoir une subvention du ministère du Jeu et de la Loterie. Puisque *Couche-toi moins niaiseux* vise l'originalité, voici donc… le jeu des 7 erreurs et demie !

Niveau de difficulté : kamikaze (les réponses sont au bas)

1) Il est une minute de plus sur la 2e photo.
2) L'autruche du centre a perdu une plume.
3) En partant de la gauche, il y a une sauterelle sur le 42e brin de gazon.
4) Il manque un bout d'écorce sur la branche en forme de « L ».
5) L'autruche de droite a des ballonnements.
6) Un orang-outan mange un fruit perché sur une branche, juste au-dessus du cadre de la photo
7) Le bébé autruche à gauche est infesté de puces.
1/2) L'œil droit de la deuxième autruche est à moitié fermé.